ВАЛЕНТИНА КРАСКОВА

КРЕМЛЕВСКАЯ ДОЧЬ
ГАЛИНА
БРЕЖНЕВА

Минск
СОВРЕМЕННЫЙ
литератор
2000

УДК 882(476)
ББК 84(4Беи-Рус)
К 78

Краскова В. С.

К 78   Кремлевская дочь Галина Брежнева. — Мн.: Современный литератор, 2000. — 352 с.

ISBN 985-456-446-0.

Данное произведение представляет известный интерес, ибо личная жизнь кремлевских деятелей и особенно членов их семей всегда в центре внимания обывателей.

Обилие документального материала, философские отступления, большое количество цитат из совершенно разных источников и, главное, оригинальные мысли автора позволяют читателю на примере жизни дочери Генерального секретаря сделать выводы не только о том, как жилось привилегированным слоям советского общества, но и об историческом явлении, которое получило название брежневщины.

УДК 882(476)
ББК 84(4Беи-Рус)

ISBN 985-456-446-0   © Современный литератор, 2000

ОТ АВТОРА

О несчастье! Оно является опорой счастья. О счастье! В нем заключено несчастье. Кто знает их границы? Они не имеют постоянства.

Лао-Цзы

Есть два желания, которые могут составить истинное счастье человека, — быть полезным и иметь спокойную совесть.

Л. Н. Толстой

Счастье завоевывается и вырабатывается, а не получается в готовом виде из рук благодетеля.

Д. И. Писарев

Если кто-то из читателей полагает, что найдет в этой книге лишь новые пикантные подробности из жизни Г. Л. Брежневой, то он глубоко ошибается. Я задумала и написала ее не для того, чтобы в очередной раз перебирать и смаковать сплетни. Мне хочется, чтобы вместе со мной вы прошли по извилистым лабиринтам российской истории XX в., заглянули за кулисы и увидели в главных участниках трагического действа не канонизированных персонажей, а простых людей. Таких же, как мы с вами: испытывающих эмоции, делающих ошибки, совершающих безумные поступки, склонных к простым человеческим слабостям.

Прежде чем приступить к написанию этой книги, я долгое время провела в размышлениях над вопросами, ответы на которые продолжают мучить меня даже теперь, когда я пишу эти строки: почему же все-таки образ этой женщины остается для меня столь притягательным даже сейчас, спустя год после ее ухода из жизни? Что заставляет меня возвращаться к нему снова и снова?

Смею предположить, что не одну меня мучают подобные вопросы. В поисках ответа я пришла к выводу, что подобная любознательность отчасти вызвана нашим незнанием подробностей личной жизни бывших и нынешних руководителей страны. После революции семейная жизнь вождей являлась государственной тайной, а потому строго охранялась.

Сегодня читатель имеет возможность в полной мере удовлетворить свое любопытство и получить ответы на все свои «кто?», «где?», «когда?», «что?», «с кем?», «почем?». Личная жизнь руководителей страны и членов их семей теперь не является для нас тайной за семью печатями. Однако еще многое и многое о жизни бывших и нынешних руководителей нашей страны тщательно скрывается от широкой общественности.

«Не говорят, значит, есть что скрывать» — вот обычная цепь рассуждений любого человека. Отсюда — один шаг к недоверию.

Первым шагом к открытости стало развитие номенклатурной мемуаристики, начало которой, как и борьбе с культом личности, положил Н. С. Хрущев. И все же следует признать, что мы еще очень далеки от той открытости, которая существует, например, на Западе, где представители монархических домов, президенты государств, всемирно известные кинозвезды и деятели шоу-бизнеса находятся под пристальным вниманием репортеров светской хроники.

Я ни в коем случае не ратую за то, чтобы к каждому политику, кумиру кино или эстрады приставить по папарацци. Национальному менталитету россиян не чужд постоянный интерес к пикантным подробностям закулисной жизни знаменитых людей. Но истории, подобные той, что произошла в США с президентом Б. Клинтоном, не пользуются повышенным интересом у россиян. Прекрасным доказательством тому являются скандальные случаи отечественного производства — сначала с министром юстиции Ковалевым, а потом и с генпрокурором Скуратовым.

Нас уже трудно чем-нибудь удивить. К тому же где-то глубоко в подсознании каждый из нас понимает, что любой человек, пусть даже столь высокопоставленный, имеет право на человеческую слабость.

Замысел этой книги возник ровно год тому назад, когда в средствах массовой информации появились сообщения о смерти Г. Л. Брежневой. Многим читателям из нынешнего молодого поколения эта фамилия, возможно, ни о чем не говорит, хотя каких-нибудь два десятилетия назад вряд ли нашелся бы человек, который не знал бы ее.

— Господи, нашли о ком писать?! — с удивлением хлопнула в ладоши моя знакомая библиотекарша, когда на вопрос, о ком на этот раз собираю материал, я назвала дочь бывшего Генерального секретаря ЦК КПСС. — Да она же была неврастеничкой и алкоголичкой!

И тогда я поняла, что обязательно напишу эту книгу. Ведь и слова моей знакомой являются не чем иным, как проявлением заложенного в нас советского воспитания: непримиримо-воинственного, одностороннего, в общем — безапелляционного.

Правда, после разговора с библиотекаршей первоначальный замысел изменился. На свой вопрос: почему же все-таки образ этой женщины остается для меня столь притягательным? — я наконец нашла для себя удовлетворительный ответ: да потому, что в жизни Галины Брежневой, как в зеркале, отразилась трагическая судьба ее поколения, воспитанного уже при социализме.

В последнее время в нашей стране все настойчивее предпринимаются попытки повернуть вспять колесо истории. Но прошлое, как известно, повторяется лишь в виде фарса. Если же внимательнее присмотреться к событиям серых десятилетий в нашей стране после 1917 г., то невольно приходишь к пониманию: все это в значительной степени и было фарсом, трагическим, полным цинизма и откровенного издевательства над гражданами ог-

6

ромного государства. И чем больше знакомишься с документами, чем глубже проникаешь в суть исторического бытия, тем яснее и отчетливее это осознаешь.

Не только те, кому выпало пережить коллективизацию, индустриализацию, репрессии, пламя мировой войны, но и те, кто, как и я, принадлежат к послевоенному поколению, вряд ли согласятся одним махом перечеркнуть свою жизнь, признать ее несостоявшейся. Нет. Ведь существует неразрывная связь поколений, и каждое звено этой цепи является органичным продолжением предыдущего.

Мы с вами унаследовали от наших предков жизнь в великой стране с древними традициями, и мы должны сделать все возможное для того, чтобы с нашими детьми не повторилось то, что уже не раз происходило.

Нужно вернуться в те годы, попытаться постичь дух того времени, когда рождалось «молодое советское государство», закладывался характер *советского* человека и прорастали корни явления, впоследствии названного *брежневщиной*. В этом плане Г. Брежнева не только олицетворение уродливого явления, но и его трагическая жертва, женщина далеко не самой счастливой судьбы.

Я совсем не случайно эпиграфом к авторскому вступлению поставила высказывания мыслителей прошлого о счастье и несчастье. Когда начинаешь знакомиться с жизнью кремлевских отпрысков, становится очевидным, что в их судьбах есть одно общее:

7

в большинстве своем это трагические судьбы.

Да и как могло быть иначе, если они, как и все мы, родились в стране, в которой на протяжении двадцатого века проводился грандиозный опыт по выживанию человека, по его способности адаптироваться к невыносимым условиям существования. Наши сердца и души в экспериментальных целях были заражены страшной бациллой *коммунизма*, которая должна была уничтожить разум и чувства — то, что делает человека человеком.

Вместо христианской морали нам методично прививали мораль антихристианскую.

«Падающего — толкни!» — так сформулировал моральный закон нового человека, возникшего на арене истории, немецкий философ Ницше. Новая — Советская — власть отринула не слишком существенную мелочь в виде культурных навыков и хорошего воспитания.

Еще в прошлом веке Толстой и Достоевский поставили перед собой вопрос: что же такое есть душа человеческая? На что она опирается? Что является ее точкой опоры?

Толстой нашел для себя ответ в том, что *совесть* — вот та точка опоры, что делает человека человеком. Она есть в каждом из нас, стоит только разбудить, расшевелить ее и жить по совести. Но непременно по своей, потому что жить по чужой совести, пусть и самой великой (по совести Христа), значит, обманывать. (За это, кстати говоря, великий писатель и был отлучен от церкви: ведь подобное утверждение находится в противоречии с канонической церковной верой.)

Достоевский пришел к иному выводу: «Совесть без Бога, — писал он в своих «Записных книжках», — есть ужас, она может заблудиться до самого безнравственного. Недостаточно определять нравственность верностью своим убеждениям. Надо еще беспрерывно возбуждать в себе вопрос: верны ли мои убеждения? Проверка одна — Христос». Он не верил в совесть как в некую реальность человеческой души, как в орган, заставляющий человека поступать хорошо и не поступать дурно. И в один прекрасный миг писатель ужаснулся своему открытию: *суть человеческой души составляет не зло, а абсолютное равнодушие к добру и злу.* «Нигилизм явился у нас потому, что все мы нигилисты, — сделал он запись в тех же «Записных книжках». — Нас только испугала новая, оригинальная форма его проявления. (Все до единого Федоры Павловичи.)» Для великого писателя человек без Бога, без Христа — тлен, прах, червь, ничтожество, а человеческая гуманность — всего лишь привычка.

Великие русские писатели предсказали появление нового человека на исторической арене, и он не замедлил появиться и предстать в своей полной красе с дерзким лозунгом: «Плюй на всё и торжествуй». И не случайно его выход ознаменовался молчаливым преследованием Христа (вспомните А. Блока и его поэму «Двенадцать»). Прошло совсем немного времени, и новый человек, словно в подтверж-

дение жутких выводов классика, во весь голос
объявил:

Палестинский пигмей худосочный,
Надоел нам жестоко Христос, —
Радость жизни он сделал непрочной,
Весть об аде он людям принес.

Но довольно садиста мы чтили,
Много крови он выпил, вампир!
Догнивай же в безвестной могиле, —
Без тебя будет радостней мир!

Этот отрывок из стихотворения А. Тинякова как нельзя лучше характеризует нового
человека и его коммунистическую идеологию.
И если кто-то будет говорить вам, что нынешние коммунисты не такие, — не верьте.
Это все та же многоголовая гидра, у которой
просто изменилась внешняя оболочка. Они,
как и их предшественники, все так же декларируют равенство и братство, а на самом деле лишь рвутся к власти. (Даже люди старшего поколения согласятся с тем, что настоящего равенства и истинного братства у нас
никогда не было, кроме как на войне да в сталинских лагерях, — там, где на карту была
поставлена человеческая жизнь.) Они по-
прежнему говорят о благе народа, а на деле
пекутся о личных выгодах. На словах ратуют
за высокую мораль, а на самом деле кощунствуют, держат незахороненными останки человека, которого считают основателем своей
партии и вдохновителем. О какой совести,

о каком сострадании и человеколюбии может идти речь, если они до сих пор не исполнили его последнюю волю: похоронить рядом с матерью? Будьте уверены, что люди, суть которых — *абсолютное равнодушие к добру и злу*, никогда этого не сделают. Почему? Потому что есть в этом некая странная, до конца непостижимая, дьявольская предопределенность.

Как и большинство моих сограждан, я была воспитана в атеистическом духе. И все же трудно поверить, что не было дьявольского промысла в том, что Ленин натворил в нашей стране. Словно в наказание за бесчисленные злодеяния в отношении собственного народа Господь не позволил ему оставить после себя прямых потомков.

Большевистская партия возникла как *социал-демократическая секта*. Как религиозное сектантство преследуется официальной церковью, так и большевизм подвергался преследованию со стороны государства. В результате он приобрел черты непримиримого фанатизма и экстремизма, которые ныне нам так хорошо известны. В измененных социально-экономических и политических условиях секты либо прекращают существование, либо становятся самостоятельной силой.

С большевизмом произошло последнее. Из социал-демократической секты он превратился в *касту*. Не в партию, как утверждали его отцы-основатели и продолжают утверждать их верные последователи, а именно в касту — замкнутую социальную группу, оберегавшую свою обособленность, интересы, а позднее — и привилегии. На мой взгляд, это название как нельзя лучше характеризует суть, которой наполнено большевистское учение о классах.

Большевики декларировали: коммунистическая партия выражает интересы рабочего класса, трудящихся масс, ведет борьбу за демократию и социализм, мир, национальную независимость, руководит строительством социализма и коммунизма. Но так ли это было на самом деле? Неужели ГУЛАГ и крепостное закабаление крестьян были выражением интересов *трудящихся масс*? Неужели репрессии в отношении национальной интеллигенции и целых народов, а также методичная русификация были проявлением заботы об их национальной независимости и процветании? Или, может, гибель советских солдат и военных специалистов в многочисленных вооруженных конфликтах после второй мировой войны являлась борьбой за мир? Что из всего этого было строительством коммунизма?

Признавая себя последователями Маркса, большевики особое значение придавали классовой структуре общества. По политическим причинам информация о классовой структуре российского общества имела для них существенное значение.

Когда листаешь газеты, журналы и бюллетени ЦКК ВКП(б) 20-х гг., по коже начинают бегать мурашки. Отказываешься верить в то, что все это происходило в моей стране, с моим народом.

Вот где кроются корни современного безразличия, вот откуда в нас столько черного цинизма и безответственности. Еще тогда, в далекие двадцатые годы, нам сделали прививку, после которой человек способен совершать любую, даже самую гнусную, подлость и гадость. Мало того, прививка продолжает оказывать на нас свое пагубное воздействие и теперь, генетически передаваясь от поколения поколению.

Попытайтесь на минуту представить себе, каким источником постоянной тревоги являлось возможное разоблачение скрытого или ложно указанного классового происхождения для нэпманов, кулаков, священников, членов бывших дворянских и купеческих фамилий! А ведь все они были гражданами одной с нами страны, ничем не хуже, а некоторые и лучше нас! Они были нашими единокровными и единоверными братьями.

Новая власть методично воспитывала в человеке не только страх и недоверие, но и ложь. Ей было не до толстовской «разбуженной совести». Прав оказался Достоевский: ее истинная суть — *полное равнодушие к добру и злу*.

Большевики задумали и построили свою партию как секту революционеров-профессионалов. Но после захвата власти они не стали делиться ею с государственным аппаратом.

«Берегитесь лжепророков, которые приходят к вам в овечьей одежде, а внутри суть волки хищные: по плодам их узнаете их».

«Тот, кто говорит против партии, кто требует разделения функций советского аппарата и партии, хочет нам навязать такое же разделение властей, какое есть и в других государствах... Пускай-де советский государственный аппарат господствует, а партия пускай занимается агитацией, пропагандой, углублением коммунистического сознания и пр. Нет, товарищи, это было бы слишком большой радостью для наших врагов», — заявлял Лев Каменев, один из сподвижников Ленина.

Своим выступлением он расставил все точки над «i»: большевики не хотели, чтобы Советская Россия была как «другие государства». Они хотели держать в руках всю полноту власти.

«Если народ, который завоевал, культурнее народа побежденного, он навязывает ему свою культуру, а если наоборот, то бывает и так, что побежденный свою культуру навязывает завоевателю», — так высказался вождь большевиков в 1922 г., на XI съезде партии.

За год, со времени X съезда, численность партии сократилась почти на четверть (23,3 %). Но и «вычищенная», как авгиевы конюшни, партия не удовлетворила Ленина. Он опасался, что коммунисты, подобно варварам, покорившим цивилизованную страну и ставшим цивилизованными, завоевав Россию, воспримут культуру побежденных. Одновременно он упрекал новых коммунистов в «некультурности».

Подобное высказывание только на первый взгляд выглядит противоречием. Все дело в том, что Ленин имел в виду культуру управления страной и хозяйством. Причину же плохого управления большевистский вождь увидел в хорошо известном нам еще из курса школьной истории «коммунистическом чванстве».

Комчванство — так стали называть очередной порок большевики, изобретатели и любители аббревиатурного новояза.

Что же это такое, комчванство, и с чем его едят? Оказывается, это — гордость победителей, самоуверенно полагающих, что все, что они делали и делают, — правильно; это уверенность в том, что только сила решает все проблемы.

По логике вещей победители имели все основания гордиться своими успехами в захвате власти. Они на законных основаниях ждали наград за победу в гражданской войне.

Почему же тогда в глазах большевистского вождя их притязания были пороком? Потому что с его точки зрения гордость победителей расшатывала партийную дисциплину. В большинстве случаев герои гражданской войны вели себя как удельные князьки. Фронтовые друзья объединялись в *кланы*, которые бросали вызов ЦК.

Ленин ничего не изобретал. Он применил старый проверенный способ «разделяй и властвуй». Его тактика заключалась в том, чтобы использовать один клан против другого.

«Вот я сижу у руля социалистического строительства, в ВСНХ. Мне Ильич верит — и как все же трудно с ним! Никак нельзя на него положиться на все 100 %. Придешь, обсудишь, договоришься, и он тебе скажет: «Выступи, и я тебя поддержу». А как только он почувствует, что настроение большинства против этого предложения, он тут же тебя предаст... Владимир Ильич все предаст, от всего откажется, но все это во имя революции и социализма, оставаясь верным лишь основной идее — социализму, коммунизму». Так А. Рыков охарактеризовал Ленина перед С. Либерманом, одним из крупнейших специалистов российского лесного хозяйства, приглашенным руководить национализированной лесной промышленностью.

Это было весьма точным замечанием. Когда в ноябре 1920 г. идеолог «военного коммунизма» Троцкий выступил на Всероссийской конференции профсоюзов с требованием распространить военные методы на руководство экономикой и «военизировать» профсоюзы, Ленин поддержал позицию Зиновьева, который выступал за демократизацию внутрипартийной жизни и свободы внутрипартийной критики. (Следует заметить, что к этому времени Троцкий сосредоточил в своих руках большую власть. Он управлял сразу тремя комиссариатами, или, как сказали бы мы, тремя министерствами: войны, железнодорожного и водного транспорта.) Ленин использовал в тот момент Зиновьева и значительно ослабил влияние Троцкого на ЦК. Но когда в январе 1921 г. руководители крупнейших профсоюзов (А. Шляпников, Ю. Лутовинов и А. Киселев) опубликовали тезисы с идеей передачи управления народным хозяйством всероссийскому съезду производителей, он тут же возобновил союз с Троцким.

Через две недели после Октябрьского переворота М. Горький писал: «Ленин, Троцкий и сопутствующие им уже отравились гнилым ядом власти, о чем свидетельствует их позорное отношение к свободе слова, личности и ко всей сумме прав, за торжество которых боролась демократия».

М. Горький был писателем и членом партии не являлся. Исходя из классовой теории большевиков (до и после революции), он вполне мог сойти за врага.

Но вот слова большевика с дореволюционным стажем: «Долгое пребывание у власти в эпоху диктатуры пролетариата возымело свое разлагающее влияние и на значительную часть старых партийных работников. Отсюда бюрократия, отсюда крайне высокомерное отношение к рядовым членам партии и к беспартийным рабочим массам, отсюда чрезвычайное злоупотребление своим привилегированным положением в деле самоснабжения. Выработалась и создалась коммунистическая иерархическая каста...»

Это сказал А. Сольц, член Верховного суда РСФСР, а затем и СССР, которого называли «совестью партии». Для него, партийного чиновника, «коммунистическая иерархическая каста» как бы сама собой создалась по причине «долгого пребывания у власти».

Главной причиной разложения партии, превращения революционеров в красных вельмож стала монополия на власть. Это также было причиной наплыва в партию разного рода карьеристов и проходимцев. Они вступали в нее не потому, что стояли за народ, а потому, что таким способом стремились решить свои «шкурные» интересы. И хотя Ленин в гневе требовал «суда на месте и расстрела безоговорочно примазавшихся коммунистов», это был бессильный гнев. Ведь только они, люди без идей и совести, *равнодушные к добру и злу*, становились идеальными членами монополистической диктаторской партии.

Спустя несколько месяцев после Октябрьского переворота Р. Люксембург писала: «С подавлением свободной политической жизни во всей стране жизнь и в Советах неизбежно все более и более замирает. Без свободных выборов, без неограниченной свободы печати и собраний, без свободной борьбы мнений жизнь отмирает во всех общественных учреждениях, становится только подобием жизни, при котором только бюрократия остается действующим элементом... Господствует и управляет несколько десятков энергичных и опытных партийных руководителей. Среди них действительно руководит только дюжина наиболее выдающихся людей, и только отборная часть рабочего класса время от времени собирается на собрания для того, чтобы аплодировать речам вождей и единогласно одобрять предлагаемые резолюции. Таким образом, это диктатура клики, несомненная диктатура, но не пролетариата, а кучки политиканов».

Вдобавок к постоянным классовым чисткам молодыми коммунистами Российской ассоциации пролетарских писателей в 20-х гг. был выдвинут лозунг о «срывании всех и всяческих масок с действительности». Привычными элементами политической культуры становятся страх и всеподозрительность. Печать и литература нагнетали страсти. Человек боялся человека. Коллега по работе, просто знакомый, сосед, друг и даже муж или жена (!) могли оказаться не теми, за кого себя выдавали. Революционный вопрос: «Союзник ты или враг?» — задавался со всевозрастающей настойчивостью и страстью. С подачи большевиков ответ на него нужно было давать с позиций классовой принадлежности.

Малообразованным и малокультурным членам партии казалось, что их обманывают, запугивают, ими манипулируют те, кто превосходит их по культурному и социальному уровню. Вот вам пример. Полуграмотная крестьянка Мурашова, избранная председателем сельсовета, в своем выступлении на Третьей сессии Центрального Исполнительного Комитета 5-го созыва рассказала, как дочь бывшего барина принесла ей в сельсовет на подпись бумагу: «Но мой революционный *инстинкт* (вот на каком уровне происходило познание! — *В. К.*) подсказал мне правильный ход... А если бы я подписала бумажку и приложила бы печать, она что могла бы натворить с этой бумажкой!»

Все начинается с детства. В настоящее время психологи доказали, что даже такие, казалось бы, совершенно взрослые качества характера, как деспотизм, бюрократизм, взяточничество, угодничество, цинизм и лживость, закладываются именно в детстве.

Вам требуются доказательства? Пожалуйста. Вы когда-нибудь наблюдали, как ведут себя дети среди своих сверстников, когда за ними не присматривают старшие? Если нет, присмотритесь. Это очень интересное зрелище. То, что вам откроется, в значительной степени характеризует и нас, взрослых: наше отношение друг к другу, к соседям, к предметам и явлениям... Дети воспринимаются нами как несмышленые, непонимающие. На самом деле они впитывают характер и поведение родителей уже с грудного возраста.

Так вот, последите за детьми и их играми. Даже в детсадовской группе, если общение пустить на самотек, пышным цветом начинает расцветать «сорняк». В любой группе всегда выделяется наиболее активный и решительный лидер, который без присмотра начинает третировать сверстников. Рядом с ним мгновенно возникают подпевалы, а на другом полюсе собираются неугодные и гонимые. В его власти распределение ролей в творческой игре. Сам он (или она, потому что девочки-деспоты встречаются ничуть не реже мальчиков) непременно заводила, руководит уверенно и жестко.

Вот вам пример, заимствованный мной из книги детского психолога В. Владиславского: «Дети в группе затеяли игру в космодром. Главный конструктор — местный самодержец Витя. Тихий, робкий Гена тоже хочет в космос... Не тут-то было — приговор жесток и краток: "Уходи, рыжие космонавтами не бывают!" Как же быть? Положение отвергаемого в группе нестерпимо. И Гена находит выход. На следующий день он принес из дому пластмассового космонавта. "Витя, — обращается он к Главному, — я тебе вот что принес. Можно я с вами поиграю?" Витя взял игрушку и сменил гнев на милость: "Ладно, будешь ракету заправлять"».

Квалификация ситуации не вызывает сомнения: на наших глазах один предложил взятку, а другой ее принял.

Но это касается не только взятки. Многие проблемы социальной психологии начинаются в детстве. Процитируем все того же В. Владиславского: «Начинается с несправедливого распределения ролей в игре, а кончается социальной несправедливостью в мире взрослых... Легко представить себе, например, жизненный путь ребенка, который уже в дошкольной группе привык к главным ролям. Добавим к этому еще одно важное обстоятельство: ошибки, которые делают взрослые, вольно или невольно закрепляя в маленьком человеке лидерские притязания. Воспитательница заметила активного волевого мальчика (девочку — пока различий не делаем): «Да он у меня первый помощник!» Увы, не только помощник, а порой и полноправный заместитель: «Ребята, я отлучусь, меня что-то заведующая вызывает, а ты, Витя, смотри тут, чтобы был порядок...» Таким образом, Вите делегирована власть над своими сверстниками. И он приступает к наведению порядка».

А теперь попробуйте представить, какой характер закладывался у детей, ставших свидетелями и участниками (пример Павлика Морозова позволяет сказать даже больше: активными участниками) грандиозных революционных событий! С классовой позиции они должны были стать и становились Гаврошами своего времени. Но с точки зрения человеческой этики они оказались даже не потерянным, а пожизненно травмированным, морально и психологически искалеченным поколением. Они не знали того счастливого детства, за которое благодарили «отца народов» и «дедушку Ленина». Какой на самом деле была эта неустанная забота, станет понятно лишь спустя десятилетия.

Многие из читателей наверняка знают хотя бы несколько рифмованных детских страшилок-четверостиший, которыми обменивались с друзьями и подругами в школе или во дворе. Они — результат прошлого гуманистического воспитания подрастающего поколения в Советском Союзе — «самом демократичном и самом справедливом государстве».

«Дети лишь выражают весь ужас нашей действительности, недаром и возникли эти частушки в середине 70-х годов, во времена застоя, нравственной деградации отнюдь не детского, а именно взрослого мира, — в кратком предисловии к собранным страшилкам писала М. Новицкая. — Вероятнее всего, что сочинены они не детьми, а взрослыми. Это взрослый «черный» юмор, усвоенный детьми. Он осмысляет противоречия современной действительности: девальвацию лживо-оптимистического «художественного слова» нашей псевдолитературы как следствие господства лжи и «двоемыслия», распад естественных человеческих связей (в семье, в обществе в целом, между поколениями), физическую и духовную беспризорность наших детей, потерю нравственных ориентиров и душевное опустошение, ведущее жизнь человека к катастрофическому концу».

> Волосы седые
> На головке детской...
> Хорошо живется
> Нам в стране советской.

> В детской комнате стена
> Вся от крови розова:
> Сын с папашею играл
> В Павлика Морозова.

> Косточки, звездочки, тапочки в ряд, —
> Трамвай переехал отряд октябрят.

> Дети играли в Сашу Ульянова.
> Бомбу кидали в машину Романова.

> Дети в подвале играли в гестапо,
> Зверски замучен сантехник Потапов.
> Ногти гвоздями прибиты к затылку,
> Но он не выдал, где спрятал бутылку.

Приведенные выше страшилки являются порождением только нашей действительности и ничьей другой. Их иронический жанр противостоял беззастенчивой власти псевдоценностей. Они были своеобразной психологической защитой личности от давления трагически безысходной социальной действительности, в которой оказалась наша страна к периоду застоя.

Помните, что говорил Л. Толстой? «Все счастливые семьи похожи друг на друга, каждая несчастливая семья несчастлива по-своему». Но если посмотреть на жизнь советских детей в контексте определенного времени, невольно возникает желание возразить классику.

Личная жизнь вождей, как я уже говорила, для простых граждан советской страны являлась тайной за семью печатями. Однако нам и так известно, что у самого вождя мирового пролетариата своих детей не было. Интересно, что и сестры Ленина остались бездетными, посвятив себя служению революции. Лишь у Дмитрия Ульянова, младшего брата Ленина, были дети.

По этой причине порой возникали всякого рода кривотолки, которые постепенно превращались в легенды и мифы.

Одним из таких мифов была личная жизнь Ленина. Во времена Сталина историки партии немало постарались для того, чтобы спрятать концы в воду относительно родословной вождя, его истинного, человеческого, характера в детстве, юности и зрелом возрасте. (Доподлинно известно, например, что сестра Ленина, Анна Ульянова-Елизарова, дважды — в 1932 и 1934 гг. — обращалась к Сталину с письменной просьбой обнародовать родословную брата, в жилах которого текла и шведская, и еврейская, и немецкая, и калмыкская кровь, однако дважды получала категоричный отказ.)

Ходят упорные слухи о том, что у Ленина были дети. Но не от Крупской, а от другой женщины, пламенной революционерки Инессы Стеффен.

Она родилась в Париже в семье артиста, рано лишилась отца и воспитывалась у родственников в Москве, где вышла замуж за обрусевшего француза-фабриканта по фамилии Арманд. Уже будучи матерью пятерых детей, Инесса Арманд становится революционеркой (член РСДРП с 1904 г.). За участие в революции 1905 г. ее отправляют в ссылку, откуда она бежит в Париж, где знакомится с Ульяновым-Лениным и по его предложению ведет занятия по политической экономике в политической школе Лонжюмо.

Любовная связь Ленина и Арманд не была секретом для соратников по революционной борьбе, в том числе и для Н. Крупской. Эта тема являлась табу только для простых граждан необъятной советской империи.

(Забегая вперед отметим, что Крупская знала о любовной связи мужа и Инессы Арманд. Уже после 1917 г. она даже предлагала Ленину развод, от которого тот отказался. С Арманд она навсегда сохранила дружеские отношения. В личном альбоме Н. Крупской на первой странице были два фото самых дорогих и близких ей людей: Ленина и Арманд.)

Как известно, дыма без огня не бывает, и слухи о том, что у Арманд был ребенок от Ленина, возникли по одной простой причине: после смерти революционерки и подруги Н. Крупская взяла на свое попечение ее младших детей.

Пик бурного романа приходится на июнь 1912 г. Однако вскоре между любовниками наступает разрыв интимных отношений. Не вдаваясь в подробности, скажем, что в выборе между глубоким чувством к любимому человеку и революцией Ленин предпочел последнее.

«*Расстались мы, дорогой, с тобой, — и это так больно. Я бы и сейчас обошлась без поцелуев, только бы видеть тебя, иногда говорить с тобой было бы радостью, и это никому бы не могло причинить боль. Зачем было этого меня лишать?*» — писала она Ленину вскоре после того, как ее отправили с партийным заданием в Петербург. Это единственное письмо личного характера до сих пор хранится в бывшем Центральном архиве ЦК КПСС.

А вот запись, сделанная Арманд в личном дневнике незадолго до смерти (она умерла 24 сентября 1920 г. на Северном Кавказе, заболев холерой): «*Я ко всему равнодушна, а главное — почти со всеми скучаю. Горячее чувство осталось лишь к детям и к В. И.*».

Неправда, откровенная ложь, навязанная

нам партийными идеологами, касалась не только личной жизни Ленина в зрелом возрасте. Они постарались на славу, чтобы превратить Ульяновых в «святое семейство», в котором якобы родился новый мессия.

Люди старшего поколения наверняка помнят ежегодные школьные «ленинские» уроки 1 сентября. Нам рассказывали о том, как жила семья Ульяновых, какими дружными были взаимоотношения между родителями и детьми. Мы верили своим учителям (которые, в свою очередь, верили в то, о чем говорили) и не подозревали, какой была истинная атмосфера в симбирской семье будущего вождя.

Многие и сегодня вряд ли поверят в то, какие страшные комплексы на всю жизнь остались в подсознании Ленина, какие жестокие увечья получила его душа в детстве.

Большинство бед и недостатков в нашей жизни, как отмечают психологи, имеют одну причину — нечестность. Нечестность в большом и малом, в своей семье и обществе, в отношениях с близкими и незнакомыми людьми, она непосредственным образом влияет и на воспитание детей. Не только явная, но и скрытая ложь является основной причиной многих бед.

Каждый из нас, вступая в брак и создавая собственную семью, приносит в нее стереотип того поведения и тех взаимоотношений, которые царили в доме, где мы воспитывались и росли. Характер, заложенный воспитанием в семье, играет немаловажную роль в формировании мировоззрения человека, его отношения к окружающему миру, к себе и обществу. Таков закон природы, ничего страшного в этом нет. Трагедия наступает тогда, когда человек с заложенным в семье ущербным характером получает власть над другими.

Представьте себе, например, мальчишку, выросшего без отцовского воспитания. В таком человеке с раннего детства развивается враждебность, основанная на зависти и ревности. Поначалу смутная и неосознанная, скрытая враждебность направлена на собственную мать и приятелей, живущих в полных семьях. Если такой ребенок не был обделен любовью и лаской, он способен преодолеть в себе детский комплекс неполноценности и войти во взрослую жизнь состоявшимся человеком. Однако если разочарование в вере и любви к жизни возьмут верх, человек превращается в циника и разрушителя. Подобное разочарование ведет к ненависти, направленной на жизнь и все ее проявления. У такого человека не оказывается известных свойств, которые нужны для созидания, и он мстит жизни за то, что она его обделила.

В 1922 г. обострились болезни Ленина. Врачи стали искать причины многочисленных недугов вождя, среди которых рассматривались и возможные наследственные заболевания. Для изучения родословной Ленина в Симбирск выехал видный революционер и соратник вождя А. Рыков. По возвращении в Москву он произнес фразу, которой кратко и емко охарактеризовал результат своих поисков: «Там такая грязь!»

Родители Ленина, Мария Бланк и Илья Ульянов, вступили в брак, когда ей шел двадцать девятый год, а ему было за тридцать. Мировоззрения обоих супругов тоже не совпадали: жена являлась сторонницей вольного духа и свободной любви, муж — типичным консерватором, отстаивавшим строгие православные правила и домострой. В тогдашнем Симбирске все знали, что настоящим хозяином в доме Ульяновых и воспитателем детей был не Илья Николаевич, который по четыре-пять месяцев находился в разъездах, а доктор Иван Покровский. Исходя из этого, становится понятной ошибка писца, в дипломе за 1891 г. на имя Владимира Ульянова назвавшего последнего не Ильичем, а Ивановичем.

По убеждениям доктор Иван Покровский был революционером. Он распространял нелегальную литературу, которая попадала и в опекаемую им семью Ульяновых. Так с раннего возраста дети приобщались к революционным идеям.

В августе 1874 г. в семье Ульяновых произошло пополнение — родился Дмитрий. В этом же году разлад между родителями будущего вождя мирового пролетариата достиг своего апогея и был острым, как никогда раньше.

Человеческая память сохранила для нас воспоминания тех, кто жил рядом с семьей Ульяновых и не понаслышке знал о взаимоотношениях в «святом семействе». Их приводит Виктор Правдюк в своем рассказе о «Семье У.»: «Никем из соседей не подвергалось сомнению, что отцом Дмитрия Ульянова является не Илья Николаевич, а доктор Иван Покровский...». В доказательство приводился тот факт, что «Дмитрий был единственным ребенком в этой семье, непредрасположенным к нервным срывам и депрессиям. Он единственный носил густую шевелюру (а все Ульяновы рано лысели), имел детей и, как и Иван Покровский, впоследствии стал врачом. К этому еще можно добавить, что по сохранившимся фотографиям Дмитрий Ульянов и Иван Покровский имеют поразительное внешнее сходство».

В семье Павлиновых, с одной из представительниц которой беседовал В. Правдюк, утверждали, что старшего сына Александра Мария Ульянова родила от революционера-народника Д. Каракозова, с которым в 60-е гг. XIX в. у нее был роман в Пензе. Следует сказать, что фотографическое сходство между этими людьми тоже наводит на определенные размышления.

«Я тоже была женой инспектора народных училищ, но я же не моталась со своими любовниками по всей России и не рожала детей от учеников своего мужа», — отзывалась о Марии Ульяновой одна из ее современниц, жившая по соседству в Симбирске.

Каждый из нас приносит во взрослую жизнь стереотипы того поведения и тех взаимоотношений, что царили в доме, в котором мы воспитывались и росли. Но даже в приглаженной и приукрашенной биографии Ленина М. Шагинян сумела рассказать о том, как в семье Ульяновых наказывали детей, на определенное время закрывая в темном отцовском кабинете.

Финал подобного воспитания оказался не тот, что в рассказе М. Шагинян («когда его хватились и стали искать, маленький Володя спокойно спал в отцовском кресле»). На самом деле у Ленина развился панический страх перед темнотой. Жесткое семейное воспитание, лишенное искренней родительской любви и ласки, тоже не прошло даром. Его отголоском стала патологическая жестокость и ненависть будущего вождя мирового пролетариата, который любого из оппонентов тут же причислял к врагам.

Рано или поздно и у нас появятся исследования по философии истории, в которых объективно и непредвзято будет доказано, сколь пагубно повлиял и продолжает влиять на нас ленинизм-коммунизм в его российском варианте. Зараженные некрофилией, многие из нас не могли и не могут испытывать искренних человеческих чувств ни к самим себе, ни к своим ближним. Мы были лишены совести, потому что партия была «умом, честью и совестью нашей эпохи». Мы только теперь учимся испытывать настоящие и искренние человеческие чувства к себе, к родным и близким, знакомым и друзьям, к своей великой Родине. Нам это дается с великим трудом, но мы должны, мы просто обязаны пройти этот путь, если хотим сохранить свою страну и иметь будущее.

Личная жизнь Сталина, как и жизнь Ленина, для простых советских граждан всегда была окутана покровом тайны.

Он был четвертым ребенком в семье и единственным, кто остался жив. Остальные дети Виссариона и Екатерины Джугашвили умерли в раннем возрасте. По воспоминаниям современников, отец Сталина был худощавым, с черными волосами, бородой и усами, обладал суровым, вспыльчивым нравом и был большим любителем выпить. И умер Виссарион от ножевых ран, полученных после очередной пьяной драки.

Мать Сталина, Екатерина Геладзе, рыжеволосая, привлекательная, была неграмотной и очень набожной женщиной. Она носила традиционную одежду грузинских женщин, пользовалась уважением в общине и по старинному обычаю посвятила свою жизнь служению Богу, мужу и сыну. Дочь Сталина, Светлана Аллилуева, на основании рассказов отца пришла к выводу, что ее бабушка была женщиной с пуританской моралью, строгой, решительной, твердой, упрямой и требовательной к себе.

Всю жизнь Екатерина мечтала о том, чтобы ее сын стал священником. Даже когда он, уже будучи всемогущим диктатором, навестил мать незадолго до ее смерти, она сказала: «А жаль, что ты так и не стал священником».

Я привожу эти факты лишь для того, чтобы показать истоки пуританского характера Сталина, всю свою жизнь не терпевшего излишеств в себе и в своем окружении.

Да и как могло быть иначе!? Он воспитывался в семье, отношения в которой характеризовались строгой патриархальностью и регламентировались целой системой запретов, где супругам не позволялось называть друг друга по имени, произносить имена свекра и свекрови, тестя и тещи, а жене — еще и разговаривать со старшими родственниками мужа. Поэтому мне слабо верится в гипотезы, в которых отцовство Сталина приписывается то князю, в доме которого работала его мать, то известному путешественнику и исследователю Н. Пржевальскому. Хотя наличие подобных исторических версий наводит на определенные размышления и сближает Сталина с Лениным.

Первый раз Сталин женился то ли в 1902 (до ссылки в 1903 г.), то ли в 1904 гг. (уже после ссылки). Его женой стала Екатерина Сванидзе. Он познакомился с ней через ее брата Александра, вместе с которым учился в Тифлисской семинарии. Тот факт, что в выборе жены главную роль сыграл комплекс матери, подтверждается не только совпадением женских имен, но и их внешним сходством.

Екатерина Сванидзе была простой грузинской девушкой, для которой обязанности жены составляли главную суть жизни. По воспоминаниям современников, она была глубоко религиозной и часто молилась по ночам о том, чтобы ее муж оставил кочевую жизнь революционера и занялся чем-то более основательным. Она напоминала Сталину мать еще и тем, что была безгранично предана ему и смотрела как на полубога.

Первый брак Сталина вряд ли можно назвать счастливым. Супруги виделись очень редко. В 1908 г. Екатерина родила Сталину сына Якова, а через год заболела и умерла. (Впоследствии Якова воспитывал не отец, а тетя, старшая сестра Екатерины Сванидзе.)

Во второй раз Сталин женился лишь спустя десять лет. Его избранницей стала Надежда Аллилуева, дочь старого революционера Сергея Аллилуева, с которым Сталин был знаком с 1904 г. Надежда Аллилуева была на 23 года моложе мужа и совсем не похожа на Екатерину Сванидзе. Человек, для которого общественная деятельность являлась насущной потребностью, она впитала большевизм с молоком матери. Выйдя замуж, она не замкнулась в домашнем хозяйстве.

Член партии с 1918 г., Надежда Аллилуева некоторое время вместе со Сталиным работала в Царицыне. В начале 1919 г. она уже в личной канцелярии Ленина, потом — в редакции журнала «Революция и культура». Позднее она поступила в Промакадемию, собиралась стать специалистом по синтетическим волокнам.

Надежда Аллилуева родила Сталину двоих детей — сына Василия (1921) и дочь Светлану (1926). В ночь с 8 на 9 ноября 1932 г. она покончила жизнь самоубийством.

«Все дело было в том, что у мамы было свое понимание жизни, которое она упорно отстаивала. Компромисс был не в ее характере. Она принадлежала сама к молодому поколению революции — к тем энтузиастамтруженикам первых пятилеток, которые были убежденными строителями новой жизни, сами были новыми людьми и свято верили в свои новые идеалы человека, освобожденного революцией от мещанства и от всех прежних пороков. Мама верила в это со всей силой революционного идеализма, и вокруг нее тогда было очень много людей, подтверждавших своим поведением ее веру. И среди всех самым высоким идеалом показался ей некогда отец. Таким он был в глазах юной гимназистки, — только что вернувшийся из Сибири «несгибаемый революционер», друг ее родителей. Таким он был для нее долго, но не всегда... И я думаю, что именно потому, что она была женщиной умной и внутренне бесконечно правдивой, она своим сердцем поняла в конце концов, что отец — не тот человек, каким он ей казался в юности, и ее постигло здесь страшное, опустошающее разочарование».

Так представляла себе семейную трагедию Светлана Аллилуева, дочь Сталина, сменившая в 1957 г. фамилию отца на фамилию матери.

На похороны молодой жены (она была лишь на восемь лет старше Якова, его сына от первого брака) Сталин не пошел. Надежду Аллилуеву хоронили родные и близкие. До конца своих дней он также больше никогда не появился в Зубалове, приказав построить для себя новую дачу в Кунцеве, и сменил прежнюю кремлевскую квартиру.

Несчастливой, полной трагизма оказалась

судьба детей Сталина. Сын от первого брака, Яков Джугашвили, перед самой войной стал офицером. Второго июня 1941 г. он был направлен в войска в качестве командира батареи 14-го гаубичного полка 14-й танковой дивизии. Перед отъездом на фронт он попрощался с отцом по телефону.

Уже 26 июня 1941 г. в приложении к разведсводке № 15 командование 6-го немецкого армейского корпуса разослало протокол допроса старшего лейтенанта Джугашвили, выданного кем-то из военнопленных. Немецкое командование пыталось сделать политический капитал на имени сына Сталина. Якова склоняли к участию в формировании так называемых «восточных» батальонов, а затем — РОА, но он на сделку не пошел.

Его перемещали из лагеря в лагерь. Ходили слухи, что в офлаге XIII-Д близ Хаммельбурга Яков виделся с легендарным генералом Карбышевым. За попытку совершить побег с польскими патриотами Якова перевели в более надежный концлагерь Заксенхаузен, где он содержался в общем бараке с британскими офицерами.

В воспоминаниях Долорес Ибаррури, Генерального секретаря компартии Испании, приводится малоизвестный факт о том, что в 1942 г. за линию фронта была заброшена специальная группа с заданием освободить Якова из плена. С документами на имя офицера франкистской «Голубой дивизии» в ее состав входил и испанец Хосе Пара Мойса. Однако операция закончилась неудачей и гибелью всей группы. В состоянии сильной депрессии Яков «пошел на проволоку» — вошел в запретную зону, и 14 апреля 1943 г. был убит на месте.

Грустной и трагичной оказалась и судьба второго сына Сталина — Василия. Отец не смог воспитать его твердым и умным человеком. После смерти матери его фактическим наставником стал Власик, бывший красноармеец, некогда приставленный для охраны Сталина, а впоследствии — генерал, начальник охраны вождя народов.

«Отец на меня жалуется, говорит, что я горяч, не выдержан, веду себя не как положено, — признавался позднее сам Василий. — А кто в этом виноват? От кого я мог быть хорошо воспитан? Сам он не занимался нашим воспитанием — у него работа. После смерти матери отдал нас на воспитание во 2-й интернациональный дом — вместе с испанскими детьми. Затем нас воспитывали беззубая немка и рязанский милиционер, который научил меня пить водку и шляться по бабам».

Примерно о том же в одном из своих интервью говорил о Василии его сын, режиссер Театра Российской армии Александр Васильевич Бурдонский: «С детства им занимались чужие люди. В 14 лет какие-то бабы уже тащили его в койку. Каждый хотел извлечь из этого какие-то выгоды. Он с детства был лишен искреннего к себе интереса — не как к сыну Сталина, а просто как к обычному ребенку. Это и определило его характер, за который он и расплатился жестоко».

Обстановка лести, подхалимажа и вседозволенности воспитала в нем слабохарактерного, капризного человека. Как и Яков, он тоже ушел на войну.

«Личное дело Василия Иосифовича Сталина красноречиво свидетельствует о кадровом самовольстве сталинского окружения с молчаливого согласия отца, — пишет в своей книге «Триумф и трагедия» Д. Волкогонов. Приведу лишь несколько выдержек и фактов из тонкой папки личного дела.

В двадцать лет В. И. Сталину сразу, минуя несколько ступеней, присваивается звание «полковник» (приказ НКА № 01192 от 19 февраля 1942 г.).

В двадцать четыре года В. И. Сталин — генерал-майор авиации (указ Президиума Верховного Совета СССР от 2 марта 1946 г.); спустя год он уже генерал-лейтенант.

Будучи совсем «зеленым», посредственным летчиком, в 1941 г. В. И. Сталин назначается начальником Инспекции ВВС РККА.

В январе 1943 г. назначается командиром 32-го гвардейского истребительного полка; через год — командиром 3-й, а затем 286-й дивизии истребительной авиации. В 1946 г. В. И. Сталин — командир корпуса, затем заместитель, а потом и командующий ВВС МВО.

Феерический взлет, не основанный, однако, на деловых и моральных качествах. За время войны, как указывают его начальники, Василий совершил только двадцать семь вылетов и сбил один самолет противника типа ФВ-190;

награжден двумя орденами Красного Знамени, орденом Александра Невского, орденом Суворова II степени.

А вот что писали в аттестации на В. И. Сталина генерал-лейтенант авиации Белецкий и генерал-полковник Попивин:

«По характеру горяч и вспыльчив, допускает несдержанность: имели место случаи рукоприкладства к подчиненным... («Яблоко от яблони...» А чего же вы еще хотели, если сам отец был сторонником мордобоя как воспитательного средства и мужицкого сквернословия как убеждающего аргумента. — *В. К.*) В личной жизни допускает поступки, несовместимые с занимаемым постом командира дивизии, были случаи бестактного поведения на вечерах летного состава, грубость в отношении отдельных офицеров, был случай легкомысленного поведения — выезд на тракторе в г. Шауляй с конфликтом и дракой на контрольном посту НКВД. Состояние здоровья слабое, особенно нервной системы, весьма раздражителен; это повлияло на то, что в последнее время в летной работе личной тренировкой занимался мало, что приводит к слабой отработке отдельных вопросов. Все эти недостатки в значительной степени снижают его авторитет как командира и несовместимы с занимаемым постом командира дивизии».

Последующие характеристики аналогичны, однако везде их завершает вывод: «Желательно послать на учебу в академию». Прославленные генералы Руденко, Савицкий (в последующем маршалы) не видели в то время иного способа избавить подчиненные им соединения от «бестолкового принца».

Финал жизни Василия Сталина печален: лишенный званий и почестей, сорокалетним он умер от цирроза печени в полной безвестности в Казани.

Жизнь Светланы, несмотря на имя, тоже нельзя назвать светлой. После похорон матери она жила в Кремле. Почти ежедневно отец интересовался успехами дочери в учебе, регулярно подписывал дневник. Возможно, сказался материнский комплекс, заложенный в нем с детства. К тому же дочь была очень похожа на его мать: с рыжими вьющимися локонами, розовощекая, голубоглазая, с привлекательной улыбкой.

Училась она хорошо, учителя отмечали ее склонность к литературе. Однако на ее решение поступать на филологический факультет Сталин недовольно обрушился: «В литераторы хочешь! Так и тянет тебя в эту богему! Они же необразованные все, и ты хочешь быть такой... Нет, ты получи хорошее образование, ну, хотя бы на историческом. Надо знать историю общества, литературу — это тоже необходимо. Изучи историю, а потом занимайся чем хочешь».

По настоянию отца Светлана в 1943 г. поступила на истфак МГУ, после окончания которого все же поступила и успешно окончила филологический. Наконец и сам Сталин оценил стремление дочери к филологии, и после учебы она поступила в аспирантуру Академии общественных наук при ЦК КПСС, где получила степень кандидата филологических наук.

Но личная жизнь Светланы складывалась не так легко и безоблачно. Семнадцатилетней девушкой она влюбилась в Алексея Каплера, который был старше ее на 22 года. Как признается сама Светлана, Каплера в дом привел Василий. По ее же признанию, последний раз они виделись в последний день февраля 1943 г., а 2 марта его задержали, препроводили на Лубянку, обвинили в связях с англичанами и арестовали.

«3 марта утром, когда я собиралась в школу, неожиданно домой приехал отец, что было совершенно необычно. Он прошел своим быстрым шагом прямо в мою комнату, где от одного его взгляда окаменела моя няня, да так и приросла к полу в углу комнаты… Я никогда еще не видела отца таким. Обычно сдержанный и на слова, и на эмоции, он задыхался от гнева, он едва мог говорить. «Где, где это всё? — выговорил он. — Где все эти письма твоего писателя?»

Нельзя передать, с каким презрением выговорил он слово «писатель»… «Мне все известно! Все твои телефонные разговоры — вот они, здесь! — он похлопал себя рукой по карману. — Ну! Давай сюда! Твой Каплер — английский шпион, он арестован!»

Я достала из своего стола все Люсины записи и фотографии с его надписями, которые он привез мне из Сталинграда. Тут были и его записные книжки, и наброски рассказов, и один новый сценарий о Шостаковиче. Тут было и длинное печальное прощальное письмо Люси, которое он дал мне в день рождения — на память о нем.

«А я люблю его!» — сказала наконец я, обретя дар речи. «Любишь!» — выкрикнул отец с невыразимой злостью к самому этому слову. И я получила две пощечины, — впервые в своей жизни. «Подумайте, няня, до чего она дошла! — он не мог больше сдерживаться. — Идет такая война, а она занята...!» — и он произнес грубые мужицкие слова, — других слов он не находил...»

А. Каплер провел в заключении 10 лет и возвратился в Москву только после смерти Сталина.

В 1944 г. Светлана вышла замуж за И. Мороза, с которым училась в университете. Отец браку не препятствовал, но и с мужем дочери никогда не встречался. После истории с Каплером он больше не вмешивался в личную жизнь дочери.

Этот брак распался через три года, от него у Светланы остался сын. Вскоре она вышла замуж за Ю. Жданова. Это был брак, по ее признанию, без особой любви, без особой привязанности, по здравому размышлению. Он также не принес Светлане счастья и вскоре распался. Дочь Катю Светлана воспитывала без мужа.

В 1967 г. дочь Сталина выехала в Индию для сопровождения тела покойного Раджи Бриджа Сингха, своего очередного мужа. Находясь в Индии, Светлана обратилась в посольство США с просьбой о политическом убежище.

«Светлана не проявляла никаких забот о своих брошенных в России детях: Иосифе (22 лет) и Екатерине (17 лет)», — уже после ее приезда в США с удивлением отмечала зарубежная печать.

«Жизнь моих детей не изменится, они уже достаточно взрослые», — оправдывалась дочь Сталина.

В США она поселилась в Принстоне, штат Нью-Джерси. Многочисленные поклонники стали посылать ей цветы, письма, всевозможные подарки и предложения о браке.

«В общественных кругах и кругах деловых людей не без успеха ухаживали за ней», — писал о ней в мае 1985 г. журнал «Шпигель» в статье «Мой отец меня расстрелял бы за это».

Спустя три недели после приезда Светлана вышла замуж за архитектора В. Питерса. 21 мая 1971 г. у нее родилась дочь Ольга, в 1978-м получившая американское гражданство. Однако и этот брак не был продолжительным, Светлану словно преследовал злой рок. В 1973 г. брак был расторгнут, а Аллилуева получила право родительской опеки.

Прожив несколько лет в разных городах Калифорнии и Нью-Джерси, она переехала в Англию. 10 ноября 1984 г. Светлана Питерс, урожденная Сталина, обратилась в советское посольство в Лондоне и попросила разрешения возвратиться в СССР.

Ей была предложена квартира в Москве, но Светлана выбрала город Тбилиси, где ей сразу же была выделена двухкомнатная квартира, установлена пенсия и прикреплена служебная машина, которую она могла вызывать по мере необходимости.

К сожалению, у нее не сложились отношения с детьми, которых она не видела почти 17 лет. Ее дочь вообще отказалась встречаться с ней, а с сыном Светлана рассорилась и даже обращалась к властям с требованиями выслать его из Москвы на Сахалин. Все это и послужило причиной ее официального обращения к Советскому правительству с просьбой разрешить выезд в США. Она не смогла жить в стране, в которой прожила значительную часть своей жизни.

Диктатор, единственного слова которого было достаточно, чтобы ударными темпами вырыть огромнейший канал вручную, возвести дворец или переселить десятки миллионов людей за колючую проволоку, оказался совершенно несостоятельным отцом. Его «мудрости, прозорливости, воли, любви и человеческого тепла», воспетых в многочисленных романах, поэмах, стихах и кинофильмах, не хватило, чтобы собственных детей вырастить патриотами, полезными Родине.

Не минула горькая чаша зловещего времени и К. Кузакова — внебрачного сына Сталина. Его головокружительная карьера — от беспартийного преподавателя Ленинградского финансово-экономического института до заместителя начальника управления пропаганды ЦК ВКП(б) — оборвалась еще при Сталине, который в критическую минуту все же сохранил жизнь внебрачному сыну.

«При Хрущеве и Брежневе я был директором издательства, начальником управления Министерства культуры и долгие годы — членом коллегии Гостелерадио, — вспоминает сам К. Кузаков. — А прервалась карьера, если говорить коротко, в результате интриги Берии... Берия пытался уничтожить Жданова. И хотел, чтобы компромат на Жданова Сталину дал я... Берия вынес вопрос об «атомном шпионаже» на Политбюро, и там, как мне потом рассказывал Жданов, требовал моего ареста. Он ведь понимал, что в тюрьме они заставят меня подписать любые признания. Сталин долго ходил вдоль стола, курил и потом сказал: "Для ареста Кузакова я не вижу оснований"».

И еще один немаловажный штрих к портрету пуританина. Вспоминая, каким ему запомнился отец, К. Кузаков сказал: «Совершенно закрытый человек. Закрытый от врагов, друзей и обычных человеческих чувств...» В своих мемуарах Н. Хрущев приводит слова, сказанные Сталиным в одну из редких минут откровения: «Пропащий я человек, никому не верю, даже самому себе».

Выдавая себя за ортодоксального последовательного марксиста-ленинца, Сталин и сам стал бездумной жертвой той системы, которую создал. Я хочу привести отрывок из воспоминаний офицера службы сталинской охраны А. Рыбина, который собрал сведения о последних часах и минутах его жизни. Вчитайтесь в эти строки, и вы поймете, насколько несчастливой и трагичной была судьба этого человека.

«Все вроде бы как шло хорошо, но вот 1 марта, уже час дня, а Сталин никого к себе не вызывает. Охрана насторожилась: два часа — не вызывает, три — тоже нет... Это что такое? У Сталина полностью нарушен распорядок отдыха. В чем дело? Примерно в половине седьмого появилось освещение у Сталина в кабинете, в большом зале. Но вызова опять не последовало. Пришла почта из ЦК. Это стало поводом. Логачев (тоже офицер охраны. — *В. К.*) забрал почту и пошел посмотреть, где Сталин, и увидел страшную картину: облокотившись, Сталин лежал на ковре.

Мы подняли его, перенесли на диван, укрыли пледом. Старостин (еще один офицер охраны. — *В. К.*) позвонил Маленкову. Это второе лицо после Сталина. Тот пробормотал что-то невнятное и положил трубку. А Логачев остался дежурить возле больного Сталина.

Потом Маленков позвонил сам. Вы понимаете, какая наглость!? «Ищите Берию сами, я его не нашел», — сказал он. Он не знает, где его друг, а охрана откуда знает, где этот черт, у какой женщины находится и спит? Однако минут через сорок Берия все же позвонил: «О болезни товарища Сталина никому не говорите и никуда не звоните».

Около трех ночи приехали соратники. В пенсне, задрав голову, прогромыхал Берия. Он же нахал вообще-то! У Маленкова были новые ботинки, они скрипели. Он в коридоре их снял, взял под мышку и прошел в одних носках.

В этот момент Сталин захрапел. Берия тут же обрушился на одного из офицеров: «Логачев, ты что наводишь панику? Не видишь, товарищ Сталин крепко спит. Нас не беспокой и его не тревожь».

Только потом приехала медицина. Руки трясутся, рубашку разрезать не могут. Вы представляете себя на их месте? А потом, этот палач Берия стоит рядом и спрашивает под руку: «А вы гарантируете жизнь товарищу Сталину?» Как можно делать операцию? А если умрет? Расстрел!»

Ошеломленный народ услышал весть о смерти Сталина на следующий день. Слезы миллионов советских людей были совершенно искренними. Они, не знавшие свободы, скорбели о самом страшном диктаторе XX в. Большинство из них не скоро осознало эту трагедию, а некоторые — никогда.

В судьбах детей высших руководителей страны после Сталина появляется некоторое отличие от судеб детей довоенного поколения руководителей, пришедших во власть либо во время революции, либо в ближайшие годы после нее. Это было связано в первую очередь с измененным социальным статусом новых кремлевских детей. В биографиях и комсомольско-партийных учетных карточках они уже никак не могли написать о своей социальной принадлежности: сын революционера; дочь землеустроителя; дочь крестьянина; сын героя гражданской войны. Все они были детьми новых власть предержащих, представителей рожденной в недрах революционной борьбы и гражданской войны бюрократии и партийно-политической элиты. Они не делали осознанного выбора и не вступали в высшую партийную касту до революции, не боролись за «место под солнцем» в ней. Они принадлежали к ней по праву рождения.

Казалось бы, уже одно это обстоятельство позволяет сделать безошибочный вывод о безоблачном существовании новых кремлевских детей.

К сожалению, это далеко не так. Видимо, изначально витает над этим местом — Кремлем — некое проклятие. Оно вмешивается в жизнь его обитателей, их родных и близких, кардинально меняет, а порой просто ломает их судьбы.

Большевики построили монументальное здание своей власти на слезах и костях миллионов сограждан, канувших в Лету. И хотя менее образованный продолжатель идей и дел основателя большевистской партии однажды провозгласил: «Сын за отца не ответчик», сын все равно отвечал за отца. Он и не подозревал о последствиях запущенного «бумеранга» в отношении не только детей и внуков соратников, но и собственных потомков. Горькая чаша несчастливой судьбы кремлевских детей минула лишь немногих из них — тех, кто в разное время по разным причинам оказался в отдалении от этого злосчастного места — Кремля.

Хрущев был женат дважды. Первая жена умерла довольно рано, и от этого брака у него осталось двое детей — сын и дочь. Эти детали из личной жизни Хрущева сближают его со Сталиным. Как и Василий Сталин, Леонид Хрущев стал военным летчиком.

В предвоенное время ВВС были элитными частями, служить в них считалось престижным. Однако в судьбах сыновей Сталина и Хрущева было и еще одно общее: неравнодушные к пьяным кутежам, оба были склонны к дракам, рукоприкладству и верили в свою безнаказанность.

Да и какие могли быть наказания, если подобный метод общения, похоже, являлся одним из излюбленных у представителей высшей касты большевиков. В своих мемуарах Н. Хрущев не раз упоминает об этом и в отношении генералов, и в отношении маршалов, и даже в отношении самого Сталина: «Это (избиение подчиненных. — *В. К.*), правда, в то время считалось в какой-то степени положительной чертой командира. Сам Сталин, когда ему докладывал о чем-либо какой-нибудь командир, часто приговаривал: «А вы ему морду набили? Морду ему набить, морду!» И далее у того же Н. Хрущева: «Одним словом, набить морду подчиненному тогда считалось геройством. И били! Потом я узнал, что Еременко (будущий Маршал Советского Союза, командующий войсками ряда военных округов. — *В. К.*) ударил даже члена Военного совета. Я ему потом говорил: «Андрей Иванович, ну как же вы позволили себе ударить? Вы ведь генерал, командующий. И вы ударили члена Военного совета?!» «Знаете ли. — отвечает, — такая обстановка была». «Какая бы ни была обстановка, есть и другие средства объясняться с членом Военного совета, нежели вести кулачные бои»... Потом этот член Военного совета стал секретарем Астраханского обкома партии, уже после смерти Сталина... Давал в морду и Буденный. Характер у него, с одной стороны, положительный, а с другой — очень задиристый. Однажды мы с ним возвращались поздно вечером из Днепропетровска. Обстановка была тяжелая: наши войска оставляли Днепропетровск. Часовой, охранявший подъезды к нашему штабу, задержал нас. Буденный начал с ним говорить и оскорблять его. Солдат стал отвечать ему согласно уставу. Тут Буденный начал ему более настойчиво «разъяснять», и разъяснение это кончилось тем, что он ударил солдата по лицу... К сожалению, Буденный не однажды позволял себе такие выходки... Бил подчиненных и Георгий Захаров. Потом он стал заместителем командующего войсками Сталинградского фронта (впоследствии — генерал армии, командующий 2-м Белорусским фронтом и зам. командующего 4-м Украинским фронтом. — В. К.)».

Приведенных фактов, мне кажется, вполне достаточно для того, чтобы читатель получил представление о нравах, царивших на самом верху большевистской касты.

Но, как говорится, что позволено Юпитеру, не позволено быку. И то, что прощалось сыну Сталина, не прошло даром для сына Хрущева. В начале марта 1943 г. старший лейтенант

Л. Хрущев в состоянии сильного опьянения застрелил майора Советской Армии.

«Это был не первый случай, когда в порыве алкогольного угара он выхватывал пистолет и налетал на кого-то, — пишет об этом в своей книге генерал М. Докучаев, в 1975—1989 гг. работавший заместителем начальника 9-го Управления КГБ. — В начале 1941 года с ним уже произошло подобное, он должен был предстать перед судом, но благодаря отцу избежал не только наказания, но и суда».

Н. Хрущев прилетел в Москву, добился встречи со Сталиным и долго упрашивал его пощадить сына, которому по законам военного времени грозил расстрел. По словам очевидцев, он упал на колени, ползал в ногах у Сталина, истерично рыдал, однако тот оказался непреклонен.

По версии генерала М. Докучаева, этот случай стал причиной затаенной ненависти и злобы Н. Хрущева к И. Сталину, а впоследствии сыграл немаловажную роль в решении Н. Хрущева развенчать культ личности Сталина.

Как бы там ни было, но мне кажется, что личность Н. Хрущева остается неразгаданной тайной для многих исследователей. В истории человечества он есть и будет тем человеком, который не только осмелился развенчать культ личности Сталина, но и своим смелым решением поколебал устои тоталитарно-бюрократической системы. Возможно, сам того не желая.

От второго брака у Н. Хрущева было трое

детей: сын Сергей и две дочери — Рада и Елена. Последняя умерла в 28 лет от «волчанки».

Будучи номенклатурными детьми самого высокого ранга, сын и дочь Н. Хрущева не стали политиками. Рада Хрущева была журналисткой, работала заместителем главного редактора журнала «Наука и жизнь», отказывалась стать главным редактором и всю жизнь старалась держаться в тени. Сергей Хрущев уже в перестроечные годы выехал на жительство в США, читал лекции в одном из университетов. А совсем недавно он и его жена Галина получили гражданство этой страны и перебрались на постоянное место жительства в штат Род-Айленд.

Из последних руководителей государства мне хотелось бы упомянуть о судьбе детей Ю. Андропова.

Наверняка мало кто знает о том, что Татьяна Филипповна была второй женой Председателя КГБ, а потом — Генерального секретаря ЦК КПСС Ю. Андропова, у которого от первого брака остался сын Владимир. Несмотря на то что родители разошлись, когда мальчику исполнился всего один год, судьба Владимира Андропова сложилась не лучшим образом. Имея к двадцати годам неполное среднее образование и две судимости, парень умер в возрасте тридцати пяти лет.

Судьбу Игоря Андропова, сына от второго брака, тоже нельзя назвать счастливой. Перспективный дипломат, он был советским послом в Греции, но его отозвали, и он стал простым мидовским работником. Некоторые утверждают, что отзыв был связан с болезнью. Его личная жизнь не сложилась. Первый раз он был женат на журналистке, корреспонденте газеты «Советская культура» Татьяне Квадраковой.

Позже этот брак распался, и новой невесткой Ю. Андропова стала Людмила Чурсина. Она покорила советских зрителей своей красотой, мощным, ярким и темпераментным характером сразу после выхода на экраны художественного фильма «Угрюм-река» по роману В. Шишкова, в котором сыграла Анфису. Народная артистка СССР, лауреат Государственной премии, в одно время она даже получила приглашение сниматься в Голливуде с гарантией трехгодичного контракта. Но благодаря неустанной заботе государства о своих гражданах Людмиле Чурсиной не суждено было стать звездой Голливуда. Родившаяся в Таджикистане и выросшая в Грузии, актриса с внешностью гордой красавицы-сибирячки последние 15 лет работает в Театре Российской Армии и является одним из руководителей Гильдии киноактеров России. Их союз с Игорем Андроповым оказался непрочным, и после развода Игорь вернулся к первой жене.

Личная жизнь Ирины, дочери Андропова, сложилась также не самым блестящим образом. Она была замужем за актером Театра на Таганке М. Филипповым. Его родственная связь с Генеральным секретарем ЦК КПСС настолько тщательно скрывалась, что коллеги-артисты узнали о ней лишь из траурного репортажа о похоронах Ю. Андропова. Но брак распался, позже М. Филиппов стал мужем актрисы Н. Гундаревой. Имевшая возможность ни в чем себе не отказывать, Ирина вынуждена была писать просьбы о разрешении пользоваться поликлиникой медицинского центра в Сивцевом Вражке (бывшее 4-е Управление при Минздраве СССР).

Мимо внимательного читателя, наверное, не прошло незамеченным то обстоятельство, что многие дети высших руководителей страны были связаны с представителями творческих профессий. Очень редко они заключали браки с людьми своего круга.

Подобная тенденция, на мой взгляд, была непосредственным образом связана с теми общими закономерностями, по которым развивалось «первое в мире государство рабочих и крестьян». С самого начала те, кто находился у власти и кто рвался во власть, как и те, кто окружал их, страдали болезнью, диагноз которой поставил еще Ленин. Он же придумал и название болезни — *комчванство*.

Долгое время гимном Советского государства являлся «Интернационал», в котором есть такие слова: «Мы наш, мы новый мир построим, — кто был ничем, тот станет всем». Однако «генеральный план» и «смета» на это во всех отношениях «грандиозное строительство» не были тщательно подготовлены. Большевики, как ни старались, не смогли до основанья разрушить старый мир, чтобы на его месте возвести свой, новый, доселе никому не ведомый. Перед ними был только один образец — старая Российская империя. По ее «образу и подобию» они и создали «монстра» — СССР.

Начиная с Ленина и заканчивая Горбачевым, верховные правители СССР обладали неограниченной властью. Такой властью, смею вас заверить, не обладал ни один русский царь (кроме, возможно, Ивана IV и Петра I). И все-таки в одном советские руководители, несомненно, уступали Рюриковичам и Романовым: никого из них (за исключением Ленина, имевшего потомственное дворянство) никогда не внесли бы в реестры «Бархатной» книги российского дворянства, потому что ни у одного из них не было «голубых кровей»; никто из них при всем своем желании никогда не смог бы передать власть по наследству.

Властолюбие, барство, стяжательство, надменность и высокомерие — вот неполный перечень симптомов главной болезни, название которой дано еще самим Лениным. Они вели к беспорядочности в быту и образе жизни, порождали жажду материального накопительства — в общем, вели к такому образу жизни, который принято называть богемным. А где, как не среди актеров, музыкантов и художников прикоснуться к богеме? (В буквальном переводе с французского языка *bohème* — цыганщина. С кем, как не с цыганами, даже сегодня в нашем сознании связывается представление о праздном образе жизни?)

Предваряя свои размышления о жизни Г. Брежневой столь длинным предисловием, я стремилась дать читателю возможность почувствовать и осознать, какой огромной разрушительной силы грандиозное зло было заложено в основание государства, в котором мы живем и поныне, как оно искалечило психику человека и продолжает калечить ее сейчас.

Этим злом был *страх*. Его источник, неопределенный и неосознанный, заставлял нас жить в постоянной тревоге, в предчувствии опасности своему существованию.

Психологи утверждают, что страх «заставляет человека сосредоточить внимание на его источнике и побуждает искать пути его избегания». Именно страх, достигая силы аффекта (панического страха и ужаса), вызывал в человеке защитную агрессию и побуждал многих наших сограждан строчить доносы на знакомых, близких и даже родных людей.

В «ГОД ВЕЛИКОГО ПЕРЕЛОМА»

Без детей нельзя было бы так любить человечество.

Ф. М. Достоевский

Привычки отцов, и дурные, и хорошие, превращаются в пороки детей.

В. О. Ключевский

Вина или заслуга детей в огромной степени ложится на голову и совесть родителей.

Ф. Э. Дзержинский

Галина родилась в 1929 году, в «год великого перелома», в семье обычного землеустроителя. Никто тогда не предполагал, что спустя многие годы он станет известен миру как Генеральный секретарь ЦК КПСС, Председатель Президиума Верховного Совета СССР.

Род Брежневых происходил из Курской губернии. Оттуда в конце XIX в. сталелитейщик Яков Брежнев, прадед Галины, переехал с семьей на Украину в город Каменское и поступил на металлургический завод в качестве рабочего прокатного цеха.

Со времен Петра и до открытия и начала разработки Днепровского угольного бассейна (конец 60-х гг. XIX в.) в металлургической промышленности России по своей значимости безраздельно господствовал Урал. В Днепропетровской области заводы стали строить по лучшим европейским образцам. К концу XIX в. в России образовалось четыре главных металлургических района: подмосковный, уральский, польский и южный, последний занимал среди них первое место.

Когда подрос Илья, дед Г. Брежневой, он стал работать вместе с отцом на заводе.

В самом начале 1906 г. Илья Брежнев женился. Его избранницей стала 18-летняя местная красавица Наталья, а 19 декабря того же года у них появился на свет первенец — Леонид. (Позже в их семье еще родятся сын и дочь.)

В своей книге «Кремлевское золото» я уже писала о том, какие зарплаты получали рабочие в дореволюционной России. Здесь же хочу лишь напомнить читателю, что по Государственной росписи доходов и расходов Российской империи зарплата неквалифицированного рабочего составляла действительно немного — всего около двадцати рублей в месяц. Но городской пролетарий, окончивший школу ремесленных учеников и работавший на заводе, имел в месяц зарплату не менее 40 рублей. Месячная зарплата квалифицированного рабочего, к коим относились паровозные машинисты, механики электростанций и им подобные, составляла от 100 до 120 рублей.

Рабочие металлургических профессий, связанных с вредным производством, получали от 250 до 450 рублей в месяц. Некоторым из читателей может показаться удивительным, что такие рабочие после работы надевали кожаные тужурки бельгийского пошива или пиджачную пару, накрахмаленную манишку, модные штиблеты, котелок и шли в бильярдную. Жили они не в бараках, а в собственных домах с геранью на окнах и граммофонами на комодах, содержали, как правило, неработающую жену и детей.

Нам семь десятилетий буквально вколачивали в голову, что до революции рабочие в России получали не зарплаты, а нищенские пособия, на которые ничего не могли купить. Они жили в жалких лачугах, часто болели и рано умирали.

Но так ли было на самом деле? Цена на ржаной хлеб составляла 2 копейки за фунт (около 500 граммов), на ведро кваса — 30 копеек, на ведро пива — 1 рубль 24 копейки. Хорошие качественные хромовые сапоги стоили 8 рублей, простые яловые — 3 рубля, полушубок — 10 рублей, а автомобиль марки «Форд-Т» — 2500 рублей.

Теперь давайте посмотрим на социальную защищенность пролетариата, которому, как нас уверяли, нечего было терять, кроме своих цепей. Месячный наем дешевой жилой комнаты, за которую ныне молодым семьям приходится выкладывать кругленькие суммы в «зеленых», составлял пять рублей; вызов кареты «скорой помощи» общины Красного Креста — 3 рубля; частное врачебное посещение обходилось в 1—3 рубля; для бедных существовала бесплатная медицина. Плата за воду из водопровода составляла: 100 ведер — 15 копеек; за каждую ванну — 5 рублей; за ватерклозет — столько же; за фонтан — 42 рубля в месяц. Годовая подписка на крупную ежедневную газету не превышала 6 рублей.

Хороший заработок позволил семье Брежневых приобрести просторный дом с удобствами. Дед Галины почти целый день был занят на заводе, главным воспитателем первенца Леонида была мать, Наталья Денисовна. Она была домохозяйкой, как и большинство женщин в многодетных семьях.

В девять лет Леонид, старший из детей, был принят на учебу в классическую гимназию для привилегированных сословий. Образование было платным, и каждый, кто мог заплатить, был волен выбирать учебное заведение для своих детей по собственному усмотрению.

В классической гимназии существовали строгие правила и высокие требования к ученикам, образовательная программа была довольно обширной. Из всех предметов Леня Брежнев отдавал предпочтение математике, труднее ему давались иностранные языки.

В детстве Леня был чрезвычайно активным, любознательным и общительным мальчиком. Как всякого мальчика, его трудно было удержать в доме. Неусидчивость в значительной степени повлияла на формирование его характера. С юношеских лет Леонид Брежнев сохранит бродяжнический романтизм и будет кочевать с одного места на другое. Страсть к перемене мест и обстоятельств определяла его жизненный уклад. Эта же черта характера передастся потом и Галине.

Физическая выносливость и повышенная подвижность нередко были причиной многочисленных синяков, ссадин и шишек. Но опасности лишь подстегивали его самолюбие. Обладая врожденной честностью и правдивостью, молодой Брежнев не прощал лжи окружающим, даже если это были отец или мать.

Леонид Брежнев не числился среди лучших учеников гимназии. Подвижному и живому, ему не хватало усидчивости, усердия и прилежания.

Нормальное обучение длилось для него лишь два года с небольшим. Затем в стране прогремели две революции, началась гражданская война, и юный Брежнев завершал образование уже в трудовой школе (в 1921 г.). В 1922 г. его приняли в комсомол.

После окончания трудовой школы Брежнев оказался не у дел. Некоторое время он перебивался случайными заработками, непродолжительное время учился в металлургической профессиональной школе, которую организовал в Каменском один из безработных инженеров, а затем уехал на родину предков — в Курск. Здесь он поступил на учебу, на этот раз в землеустроительно-мелиорационный техникум. Окончив его в 1927 году, Брежнев получил профессию землеустроителя и остался работать в одном из уездов Курской губернии.

Однако работа молодого землеустроителя продолжалась недолго. Брежнев понял всю бесполезность работы в глухой провинции.

Будучи по натуре склонным к перемене мест, он покинул Курскую губернию и перебрался в Белоруссию.

Портрет Леонида Брежнева оказался бы неполным, если бы не упомянуть еще об одной стороне его натуры. С юности и, как свидетельствуют воспоминания очевидцев, до зрелого возраста Леонид Брежнев сохранял слабость к женской половине человечества. Путешествуя по жизни, он не забывал пускать налево и направо стрелы Амура, впрочем, не очень заботясь о результатах и последствиях. Для таких натур женщина вряд ли способна стать путеводной звездой. Стройный, с овальным лицом, высоким лбом, темноволосый, с густыми черными бровями и приятной обаятельной улыбкой, он знал подходы к женским сердцам. В нем их привлекала отзывчивая душа, природное очарование и мягкость, добропорядочность, прямота, презрение ко всяческим ограничениям, жизненный оптимизм и юмор.

В Белоруссии Брежнев устроился работать по специальности в Кохановском районе под Оршей. Приятный молодой человек, комсомолец, любитель шумных компаний, он вскоре стал завсегдатаем местных молодежных вечеринок.

В те годы по всей стране шла борьба по изживанию старого дореволюционного уклада жизни. Комсомольцы как младшие помощники коммунистов не только на словах, но и на деле боролись против устоев и ханжества старого мира. Однако на самом деле выходило так, что вместо вековой морали и традиций народу навязывалась мораль коммунистическая, понятая по-большевистски.

Занимался ли комсомолец Брежнев пропагандой нового образа жизни среди местной молодежи, как это делал в эти же годы будущий «серый кардинал» Кремля М. Суслов, доподлинно неизвестно. С уверенностью можно сказать лишь то, что, как комсомолец, он не мог остаться в стороне от обсуждения бурных тем того времени.

Животрепещущих тем в то время было действительно предостаточно. И одной из них, как показывает биография все того же М. Суслова, была личная жизнь комсомольца. Она была настолько актуальна, что очевидец и участник тех далеких событий записала в своем дневнике:

«Я часто заглядывала в Окрздрав и наблюдала за работой заведующей. Однажды в ее кабинет вошли несколько крестьянок в бедной неопрятной одежде. У некоторых из них лица были покрыты какими-то гнойно-желтыми прыщами, а у той, что держала завернутого в шмотье грудного ребенка, вокруг провалившегося носа такие же прыщи. Еще не зная, что значат эти «цветочки» на лицах девушек, я с недоуменным страхом смотрела на них. Анна Валерьяновна дала им направления на лечение и выпроводила.

— Что это за женщины? — спрашиваю. — Что с ними?

— Недалеко отсюда, — говорит Анна Валерьяновна, — целая деревня заражена сифилисом. Заразу принесли вояки русско-немецкой войны.

— Так как же им позволяют выходить замуж, рожать детей?

— А кто и как им может запретить? Вот заставляем их лечиться, лекции читаем, чтобы предупредить распространение заразы. А что еще мы можем сделать?

В другой день появились 5—6 совсем молоденьких девушек, лет по 16—18.

— Ну, проходите, проходите, пташечки! Расскажите, как это у вас случилось, — позвала их Анна Валерьяновна в отдельную комнату. Поговорив с ними, она вышла взволнованная, расстроенная.

— Ну что мне с ними делать? Придется дать разрешение на аборт. Жаль девочек.

И она рассказала, как в одной деревне прошла комсомольская вечеринка. Разогретые танцами и самогоном, парни стали приставать к девушкам, убеждая их, что после революции сохранять девственность — это буржуазные предрассудки, что если они не поддадутся, то на них станут смотреть как на кулацкое отродье и не быть им комсомолками. И вот все эти девочки в один и тот же день забеременели».

Сплошь и рядом встречались совершенно вопиющие случаи. Одним из них стало громкое Чубаровское дело — уголовное дело, которое слушалось в Ленинградском губсуде в декабре 1926 г.: 22 (!) человека в возрасте от 17 до 25 лет, комсомольцы и один кандидат в члены партии, в саду «Кооператор» в Чубаровском переулке изнасиловали девушку, готовившуюся к поступлению на рабфак. Преступление получило громкую огласку в прессе того времени и вызвало широкий резонанс ("Огонек" от 09.01. 27; «Красная нива», 05.27; «Красная панорама», 02.27 и др.).

«Чубаровское дело затрагивает огромные социальные вопросы, — говорил на суде журналист, один из общественных обвинителей. — Оно касается вопросов быта и жизни миллионов трудящихся нашего Союза, касается вопроса о нашей молодежи, о нашей трудовой смене... Величайшее значение настоящего процесса состоит в том, кто поведет за собой нашу молодежь — чубаровцы или советская общественность. Рабочий класс сейчас скажет словами Тараса Бульбы: «Я тебя породил, я тебя и убью». (Суд приговорил семерых обвиняемых к расстрелу, а остальных — к различным срокам заключения от 3 до 10 лет.)

Возможно, именно на одной из комсомольских вечеринок молодой Брежнев встретил симпатичную еврейскую девушку по имени Виктория, семья которой в поисках лучшей жизни переехала в Кохановский район из-под Белгорода.

Не привыкший подолгу засиживаться на одном месте, вскоре после женитьбы молодой Брежнев уезжает в Михайловск на Среднем Урале. Небольшой провинциальный город с населением в 11 тысяч человек и деревянными застройками, Михайловск имел железноднельный завод, владельцем которого некогда был московский купец Михаил Губин.

В городе была больница, церковь и несколько школ.

Из Михайловского Брежнев перебирается в Бисертский район, где его назначают заместителем начальника окружного земельного управления. Здесь будущий Генеральный секретарь ЦК КПСС становится кандидатом в члены партии.

Жить и работать в деревне на рубеже 20—30-х гг. было трудно. По всей стране была развернута насильственная коллективизация. Должность и специальность волей-неволей делали Брежнева активным участником грандиозных событий в деревне. Разворачивался и набирал обороты *социалистический Молох*, готовый поглотить тысячи тысяч ни в чем не повинных тружеников.

Брежнев мог не беспокоиться за свое будущее. Ему повезло с социальным происхождением: дед, отец, он сам были пролетариями. Для большевиков это являлось главнейшим критерием при оценке благонадежности. Брежнев вообще родился под счастливой звездой: мрачные потрясения, будоражившие страну, обошли стороной его самого и его родных.

К сожалению, достоверных свидетельств о жизни и деятельности Брежнева в эти годы не сохранилось. Историкам-архивистам еще предстоит потрудиться для того, чтобы отыскать подлинные документы и прояснить подробности его жизни в этот период.

"Уже отмечалось, что в юношеском возрасте Брежнев отличался открытостью, искренностью и правдивостью. Движимый чувством справедливости и любви к жизни, он, по всей видимости, переживал главную психологическую ломку в своей жизни: ему, как человеку прямому, с жаждой свободы, нужно было смириться с повсеместным лицемерием, которое он ненавидел и презирал. Я даже думаю, что именно тогда в молодой душе были посеяны первые семена, которые проросли и спустя четыре десятилетия дали свои плоды в виде застойных явлений, названных *брежневщиной.*

Однако вернемся в конец 20-х г. Что же послужило причиной возвращения в Каменское? Чтобы получить ответ, достаточно внимательно посмотреть на события, происходившие в стране. Пока кандидат в члены партии Брежнев работал заместителем председателя Бисертского райисполкома, Генеральный секретарь ЦК ВКП(б) И. Сталин объявил 1929 г. «годом великого перелома». Именно под таким названием все центральные газеты поместили его статью.

К тому времени голос И. Сталина уже был решающим при принятии важных для судьбы страны решений. В январе 1929 г. из СССР был выслан Л. Троцкий, в апреле с санкции Сталина Объединенный пленум ЦК и ЦКК ВКП(б) осудил Н. Бухарина, А. Рыкова и М. Томского за «правооппортунистическую фракционную деятельность», а на ноябрьском пленуме того же года было принято решение об исключении их из партии.

В апреле 1929 г. XVI конференция ВКП(б) приняла первый пятилетний план и обращение к трудящимся о развертывании социалистического соревнования. Из курса истории средней школы мы узнали о том, что первая пятилетка в СССР была завершена досрочно, за 4 года и 3 месяца. Сегодня мы знаем, что это заявление было заведомой ложью, фальсификацией. Оно должно было укрепить авторитет проводимой Сталиным политики, внушить народу мысль о дальновидности и непогрешимости вождя. Вопреки сталинским прогнозам к началу 30-х гг. проявились признаки застоя в промышленности, невыполнение планов и резкое ухудшение многих качественных показателей работы предприятий. Признать свои ошибки означало для Сталина согласиться с Бухариным и его сторонниками, которые предупреждали об опасности волюнтаристского подхлестывания страны, за что и были объявлены «правыми оппортунистами». Сталину необходимо было на деле доказать плодотворность своей политики.

Стремление как можно скорее преодолеть многоукладность в народном хозяйстве, ликвидировать эксплуататорские классы подогревалось мировым экономическим кризисом, который охватил большинство капиталистических стран во второй половине 1929 г. Тогдашние газеты пестрели хвастливыми заголовками о приближении неизбежного краха буржуазного строя и скором наступлении мировой революции.

К 12-й годовщине Октября была опубликована статья «Год великого перелома». В ней Сталин писал о решительном переломе в области производительности труда, о том, что «мы в кабалу к капиталистам не пошли и с успехом разрешили своими собственными силами проблему накопления, заложив основы тяжелой индустрии». Еще одним признаком великого перелома он называл поворот крестьянских масс к сплошной коллективизации. При этом никаких веских доказательств своей правоты великий теоретик и продолжатель дела Ленина не приводил.

А между тем именно в 1929 г. во всех городах страны была введена карточная система распределения продуктов питания. Государство могло обеспечить хлебом лишь около 48 миллионов рабочих, служащих и их иждивенцев. Нехватка техники, повальное преобладание ручного труда, непосильные нормы урожайности привели к миграции населения. Она охватила огромные массы людей, которые стремились попасть в города. Текучесть рабочей силы в самое короткое время приняла небывалые размеры. Это привело к обострению жилищной проблемы, к срывам в снабжении рабочих и служащих продовольствием. Во многих регионах населению грозил голод.

Следствием коллективизации и массовой миграции крестьян в города стала введенная в СССР в декабре 1932 г. паспортная система. По сути, этим мероприятием в стране вводилось новое крепостное право. Произошло закабаление крестьян, которые с 30-х до середины 70-х гг. не имели паспортов и, следовательно, не могли покидать деревню. В противном случае они переходили в разряд «беглых». Всеобщая паспортизация способствовала также созданию системы, при которой человек находился под постоянным неусыпным контролем соответствующих государственных органов. Она позволяла легко следить за перемещением населения и при необходимости ограничивать свободу передвижения. При выдаче паспортов малейшее пятно в биографии служило поводом к немедленному аресту и отправке в лагеря.

Итак, Брежнев оставляет свой пост заместителя начальника Уральского окружного земельного управления, на который его только что назначили, и возвращается в родной город Каменское. В официальной биографии Генерального секретаря этот момент упоминается вскользь. В «Воспоминаниях» его возвращение на металлургический завод объясняется тем, что Брежнев якобы решил встать на передний край борьбы за социализм. Главная работа по коллективизации и перестройке сельского хозяйства уже была проведена, а в промышленности она-де только начиналась.

Покидая голодающую деревню и перебираясь вслед за потоками многочисленных беженцев и переселенцев в крупный промышленный центр к семье, Брежнев шел не навстречу трудностям, а бежал от них. Наблюдая за происходившими в стране переменами, особенно в деревне, он не мог не заметить зияющей пропасти, которая стала отделять верхи от низов. Он также не мог не заметить, что между заявлениями о грандиозных успехах социалистического строительства и истинным положением дел существует разительное различие. Он видел, что происходит с теми, кто сопротивлялся, пытаясь противостоять откровенной лжи, должностным злоупотреблениям и припискам: они бесследно исчезали на бесчисленных стройках ГУЛАГа. То же самое грозило и тем, кто не справлялся с поставленными задачами социалистического строительства.

Но это была лишь одна сторона медали. Имевший непосредственное отношение к сельскому хозяйству (к чему его обязывал занимаемый пост), Брежнев вопреки своей собственной воле вынужден был участвовать в тех мероприятиях против крестьян, которых требовала партия. Насильственное изымание продуктов крестьянского труда вело к сокращению их производства (зачем выращивать, если придут большевики-лежебоки и силой оружия все отнимут?), массовому забою скота (в 1929 г. поголовье лошадей сократилось на 1,6 миллиона, крупного рогатого скота — на 7,6 миллиона), к открытым выступлениям против местной власти, расправам с их представителями и деревенскими активистами.

Сталин, прикрываясь волей партии, продолжал в категоричной форме требовать ежегодного наращивания производства сначала на 32, затем на 45 %. Это вело к ломке с трудом налаженной системы управления, планирования и снабжения. (Характерен пример с выплавкой чугуна: вместо декларируемых 17 миллионов тонн удалось выпустить всего лишь 6,2 миллиона тонн.) От ответственных работников на местах требовалось быстрее поставить деревню под жесткий административный контроль и ускорить процесс обобществления. Город потреблял все больше хлеба, мяса, масла. В хаосе организационного периода на селе, когда стала процветать уравниловка, а урожай свозили на заготовительные пункты, когда изымалось даже семенное зерно, сельский труженик оказался лишенным материальной заинтересованности в труде. Начинает нарастать пассивное сопротивление (невыход на работу, труд спустя рукава), за что весьма часто несли ответственность партийные работники на местах. Нараставший клубок проблем и конфликтов зимой 1932/33 г. вылился в страшный голод на Северном Кавказе, Нижней и Средней Волге, Украине и Казахстане. Даже официальные сводки были не в силах скрыть масштаб трагедии, называя цифру умерших: 3,5 миллиона человек. (Это при том, что только в Казахстане численность населения после той зимы сократилась на 2 миллиона человек.)

К срыву привели не столько разбазаривание средств и распыление ресурсов, сколько политика «подхлестывания страны», как выразился сам Сталин. Общий темп развития индустрии упал с 23,7 % в 1929 г. до 5 % в 1933 г.

5 января 1930 г. вышло постановление ЦК ВКП(б) «О темпе коллективизации и мерах помощи государства колхозному строительст-

ву», ставшее главным документом, на основе которого началась сплошная коллективизация и ликвидация кулачества «как класса».

Спустя два месяца последовало новое постановление «О борьбе с искривлениями партлинии в колхозном строительстве». Это была реакция на многочисленные нарушения при образовании колхозов законных прав граждан, которых насильно заставляли записываться самих и сдавать в общее пользование домашнюю живность и инвентарь. Нарушения и перегибы стали поводом к статье И. Сталина «Головокружение от успехов», где вся ответственность возлагалась на местных руководителей.

Как говорится, с больной головы на здоровую. Несмотря на молодость, Брежнев сумел из всего этого сделать правильные выводы. Он не мог не понимать, что в сложившейся обстановке его ждет судьба тех, кто еще совсем недавно занимал ответственные посты в укомах, райкомах и губкомах.

Был и еще один повод вернуться домой. К этому времени в семье произошло пополнение: в «год великого перелома» на свет появился первенец Брежневых — дочь Галина. Когда он вернулся в Каменское, ей исполнилось два года.

Нам уже вряд ли когда-нибудь удастся узнать, какие чувства испытал Брежнев-отец, узнав о рождении дочери. Мы, к сожалению, также никогда не узнаем, какие чувства испытывала сама Галина к отцу. Если попытаться восстановить их взаимоотношения по хорошо известным фактам, то складывается не самый удачный пример отцовства.

В молодости Леонид Ильич вряд ли испытывал сильную привязанность к своей молодой жене и ребенку. Ради справедливости следует отметить, что этого он не требовал и от супруги. Виктория Петровна сама осознавала, какое место отведено ей в жизни мужа. Она также прекрасно понимала, что никогда не станет для него чем-то вроде путеводной звезды. Обладая природным умом и мудростью, Виктория Петровна никогда и ничем не пыталась удержать мужа рядом с собой, потому что отлично понимала, что тот не создан для длительного сидения на одном месте, пусть даже рядом с семьей. Рискну предположить, что именно благодаря ее природной женской мудрости их брачный союз сохранился до конца.

После возвращения в родной город Брежнев решает пойти по стопам отца и деда. Сначала он устраивается на завод слесарем, а затем поступает на вечернее отделение металлургического института.

В конце 1931 г. двадцатипятилетний Брежнев становится членом коммунистической партии. Учился он успешно, но после вступления в партию у него практически не оставалось времени для работы слесарем. В 1932 г. его избирают парторгом факультета. Вскоре после этого Брежнев становится председателем профкома, а затем и секретарем партийного комитета всего института.

Невероятная партийная и общественная занятость вряд ли оставляла Брежневу свободное время на то, чтобы хоть изредка уделять внимание собственному ребенку. Обязанности по воспитанию дочери и ведению домашнего хозяйства были полностью возложены им на супругу.

В 1933 г. у Брежнева появляются новые обязанности. Он еще учится в металлургическом институте, а его уже назначают директором вечернего металлургического рабфака. В этом же году в семье Брежневых рождается мальчик, которого назвали Юрием.

Политическая жизнь страны между тем тоже не стояла на месте. В январе 1933 г. проходит пленум ЦК и ЦКК ВКП(б), который принимает два важных постановления: об итогах первой пятилетки и о чистке в ВКП(б). В результате этой чистки каждый 6-й член партии был исключен из ее рядов. Репрессивный механизм тоталитарной системы уже запущен. И хотя до громких процессов с осуждением тысяч безвинных остается четыре года, многие уже тогда почувствовали, куда катится страна. Малейшие признаки недовольства со стороны рабочих и крестьян, тех, кому принадлежит декларированная власть, подавлялись самым жестоким образом. Так произошло, например, со строителями московского метро, которые бастовали из-за нечеловеческих условий жизни и работы.

В январе 1935 г. Брежнев окончил полный курс обучения в металлургическом институте и защитил диплом с отличием. После чего получил звание «инженер-теплосиловик» и должность начальника силового цеха.

Работа на заводе продолжалась недолго. Как раз в это время происходит модернизация РККА, возникают и быстро развертываются новые роды войск: авиация, артиллерия, танковые и моторизованные части и подразделения. Для службы в войсках и освоения новой техники потребовались грамотные, технически подготовленные специалисты. Поэтому в год окончания института Брежнев становится сначала курсантом бронетанковой школы в Забайкальском военном округе, а позже — политруком танковой роты.

В армии он прослужил меньше года и в конце 1936 г. вернулся в родной город, который за время его отсутствия был переименован в Днепродзержинск. Вечерний металлургический рабфак, где Брежнев работал директором, преобразовали в техникум. Брежнева назначили директором техникума. Для тридцатилетнего инженера-металлурга, члена партии с немалым трудовым стажем это был весьма скромный пост.

Но вернемся к дочери Брежнева, Галине.

Ребенком она имела приятную внешность, была подвижной, любила верховодить в компании приятелей и хотела быть самой лучшей и главной среди них. Уже в пять-семь лет она нередко бывала лидером и вожаком (в лучшем смысле этих слов) среди одногодок, нередко выдумывала игры, в которых играла главную роль. Уже в детстве в ней проявлялись врожденные качества актера, чем она пользовалась не только для влияния на приятелей, но и для того, чтобы обратить на себя внимание старших. В силу активного общительного характера Галя не терпела одиночества. Однако в товарищи себе она непременно выбирала мальчиков и девочек, которыми можно было верховодить.

Будучи по натуре доброй и щедрой, она между тем была эгоисткой. Любого из приятелей-сверстников она могла пригласить к себе в дом. Если мать запрещала или ругала ее за подобные поступки, Галя сильно огорчалась и переживала.

Чувственная романтичная натура, она испытывала затаенную обиду на мать, совершенно не понимая ее упреков. Но, в отличие от других детей, Галя умела забывать и прощать обидчиков так же легко и быстро, как и обижаться на них. Ее детского ума не хватало на то, чтобы понять, почему мать требует от нее поступать именно так, а не иначе. Она не знала и не хотела знать, чем занимается отец, почему можно и нужно дружить и играть с одними детьми и почему нельзя дружить с другими, хотя они такие же, как все.

Лишь когда Галя подросла, пошла в школу и научилась делать самостоятельные выводы из собственных наблюдений, она стала понимать, что значит быть дочерью «ответственного партработника». Как должное она стала воспринимать свое привилегированное положение, которое никак не связывалось в ее сознании с положением отца. В ней начинают утверждаться заложенные с рождения такие черты характера, как тщеславие, чувство превосходства над сверстниками, капризность, эгоцентризм и поверхностность.

В школьные годы с учебой и дисциплиной у Гали Брежневой было по-разному. Иногда учеба давалась легко, она схватывала все на лету, но порой одолевала лень, и она начинала отставать по предметам.

В отличие от отца, которому нравились точные науки, Галя была больше склонна к гуманитарным дисциплинам. Она проявляла интерес к театру, музыке, кино, танцам и всему, что с этим было связано. В силу постоянной занятости отец не уделял воспитанию дочери должного внимания. Мать в отношении учебы тоже не давила. Между тем уже в детские годы было необходимо уделять много времени и внимания поведению и образованию. Не получив прочных знаний и не научившись достигать цели, Галя выросла человеком, желавшим первенствовать любой ценой.

Ни родители, ни учителя не научили ее ладить с людьми, и она росла капризной эгоисткой, которая с юности своим поведением раздражала окружающих.

Тем временем в стране стремительно надвигалось время сталинского средневековья. Но для отца Галины оно стало временем невероятного взлета по служебной лестнице.

В конце августа 1936 г. в Москве проходит открытый судебный процесс против так называемого «троцкистско-зиновьевского террористического центра», на котором шестнадцать подсудимых (в их числе Г. Зиновьев и

Л. Каменев) были приговорены к расстрелу. Пятого декабря того же года в СССР была принята великая Сталинская конституция, и народ узнал, что «жить стало лучше, жить стало веселей».

Новый, 1937 год начался с очередного открытого процесса по делу вымышленного «антисоветского троцкистского центра». Среди семнадцати обвиненных — крупнейшие в недавнем прошлом партийные и государственные деятели: Ю. Пятаков, К. Радек, Г. Сокольников и Л. Серебряков. Одиннадцати обвиненным вынесли смертный приговор (заочно приговорили к расстрелу Л. Троцкого и его сына Л. Седова; оба были убиты позже: Седов в том же 1937 г. во Франции, а Троцкий в 1940 г. в Мексике).

В самом начале лета в Москве проходит закрытый процесс по обвинению в измене и шпионаже маршала М. Тухачевского и генералов Красной Армии, которые имели хоть какое-то к нему отношение. После этого процесса массовый террор охватил все Вооруженные Силы. В результате репрессий против армии были уничтожены (по подсчетам, сделанным генерал-лейтенантом А. Тодорским): из пяти маршалов — трое (М. Тухачевский, А. Егоров, В. Блюхер); из пяти командармов 1-го ранга — трое; из 10 командармов 2-го ранга — все; из 57 комкоров — 50; из 186 комдивов — 154; из 16 армейских комиссаров 1-го и 2-го ранга — все; из 28 корпусных комиссаров — 25; из 64 дивизионных комиссаров — 58; из 456 полковников — 401.

Не меньшие потери понесли и гражданские ведомства. На февральско-мартовском 1937 г. пленуме ЦК ВКП(б), проходившем под лозунгом «Уроки вредительства, диверсий и шпионажа японо-немецко-троцкистских агентов», с докладом выступил Молотов. В своем докладе он приводил множество цифр и такое же множество известных и малоизвестных фамилий. Он же сообщил пленуму о количестве осужденных в аппаратах ряда наркоматов на 1 марта 1937 г.: Наркомтяжпром — 585 врагов народа; Наркомпрос — 228; Наркомлегпром — 141; Наркомзем — 102... И так по двадцати одному ведомству в порядке убывания численности выявленных «врагов народа».

Многие маститые историки, философы и писатели прошлого и настоящего у нас в стране и за рубежом задавались и задаются одним вопросом: как могло произойти, что в России, стране с давними христианскими традициями, в XX в. возникла самая бесчеловечная государственная система управления? И каждый из них предлагал свои объяснения поистине уникального феномена сталинизма.

В результате знакомства с многочисленными историческими документами, свидетельствами очевидцев, переживших времена сталинского геноцида, философскими, публицистическими трудами, а также художественными произведениями я пыталась понять изначальный глубинный механизм жуткого и жестокого явления. Не претендуя на роль первооткрывателя, хочу предложить читателю свой вариант объяснения.

В предисловии к этой книге я уже приводила цитату Ф. Достоевского о глубинной сути человека, коей является *полное безразличие к добру и злу*. В определенный момент жизни страны именно такие "человеки" пришли к власти, потому что оказались самыми жизнеспособными и приспособленными к новым, постреволюционным условиям.

И не только нашей страны. Когда мы заводим разговор о тоталитарной сталинской системе, то порой забываем, что такова была общая закономерность исторического развития в тот период — конца XIX — начала XX в. Произошел трагический надлом, за которым последовал процесс мутации человечества. Он стал как бы рубежом, резко разделившим прошлое и будущее, между которыми потерялась реальная связь.

«Фашизм и человек не могут сосуществовать. Когда побеждает фашизм, перестает существовать человек, остаются лишь внутренне преображенные, человекообразные существа».

Так писал В. Гроссман, с мыслью которого нельзя не согласиться.

В своей книге «Серые кардиналы Кремля» я уже писала о том, что не Сталин установил кровавый тоталитарный режим. Он не был всемогущим Богом и не обладал дьявольской силой. Короля, как известно, делает свита. Именно в окружении был секрет его безграничной власти. Свита «серых кардиналов и кардиналиков» была той пружиной, благодаря которой возник и долгое время существовал тоталитарный режим. *Сталинщина* стала органичным продолжением *ленинского большевизма*, почвой для позднейшей *брежневщины*. Сталинщина — это различная аппаратная шваль, проныры без биографии, без принципов, с полным равнодушием к добру и злу, которые наловчились чутко улавливать и ревностно осуществлять намеченную партией линию (а по сути — линию «непогрешимого» вождя), бдительно охранять ее и выискивать потенциальных «уклонистов».

Многие из них пришли во времена гражданской войны. Именно тогда у большевиков возникла своя бюрократия. Будучи наследницей царской бюрократии с ее взяточничеством и коррупцией, красная бюрократия была еще более опасной из-за своей бесконтрольности. Чиновники от компартии украшали новыми иконами кабинеты, где совсем недавно заседали их коллеги царского времени.

Партаппаратчики быстро возвели систему власти, основанную на обмане и презрении к конкретному человеку. Очень быстро эта сравнительно небольшая группа людей сумела взять под контроль всю партию, которая к 1921 г. насчитывала в своих рядах всего 732 000 человек. Пока Ленин и большинство его ближайших соратников занимались государственным строительством и не обращали внимания на партаппарат, Сталин сумел разглядеть в нем силу, будущую основу режима.

Они называли себя «верными сталинцами», а на самом деле были интриганами и бездарями, заплечных дел мастерами, организаторами тотального единомыслия. Каждый из них старался погромче прокричать вождю «ура!» и наделить как можно более сверхъестественными способностями. Их усердие и восторг, подозрительность и яростный гнев, способность быть чуткими к указаниям сверху неплохо оплачивались.

Трагический парадокс заключался в том, что никто из них не был застрахован от немилости вождя. Однако они все равно тянулись к трону. Почему? Мне кажется, потому, что их прельщала власть. Получить ее они могли лишь в том случае, если становились проводниками сталинской политики. Они получали маленький кусочек абсолютной власти и превращались в «сталиников» на местах.

В одного из таких «сталиников» превратился и Леонид Брежнев. Не проработав директором металлургического техникума и одного учебного года, в мае 1937 г. он назначается на пост заместителя председателя исполкома Днепродзержинского горсовета. Ежовщина подчистую уничтожала кадры партийных руководителей различных уровней и открывала возможность необычайно быстрого продвижения для десятков тысяч молодых партийных активистов. Эта волна новых назначений захватила и Брежнева.

В 1937 г. кровавые репрессии докатились и до Украины. НКВД принялся рьяно раскручивать дело «боротьбистов», поставив во главе несуществующей подрывной группировки руководителя Украины Панаса Любченко. В конце августа в Киеве начал работу специальный пленум, который должен был вынести обвинение в антисоветской деятельности огромной группе высокопоставленных работников партаппарата и армии.

В ходе работы пленума внезапно умер Любченко. Вместе с ним умерла его жена, преподаватель исторического факультета Киевского университета.

«Я, товарищи, должен сначала сообщить, что, пока мы с вами принимали решение, Любченко застрелился, подтвердив тем самым, что мы правильно это дело разобрали», — не дожидаясь результатов расследования причин и обстоятельств смерти первого лица республики, заявил на пленуме Станислав Косиор, генеральный секретарь компартии Украины.

А 5 сентября трибунал КОВО направил в Военную коллегию Верховного суда СССР донесение о том, что Любченко застрелил свою жену, а затем покончил с собой.

(Лишь через полвека, в начале 90-х, широкому кругу читателей станут известны детали и обстоятельства гибели Панаса Любченко. Исследователи в первую очередь обратили внимание на следующий момент: в таких случаях, как самоубийство члена Политбюро и главы правительства, а также его жены, обязательно составляется протокол осмотра места происшествия: фотография и осмотр трупов; указания, где находятся пулевые отверстия; из какого оружия произведены выстрелы, какова система оружия, его номер и т. д. В случае с самоубийством Любченко и его жены ничего такого и в помине нет. В протоколе было указано лишь на то, что при обыске изъяты: партбилет А. Любченко; партбилет М. Крупеник; орден Ленина; удостоверение ЦИК УССР и удостоверение Совнаркома Украины на имя Ю. Коцюбинского.)

В последующие дни были репрессированы все, кто близко знал Любченко и его жену: охранная бригада НКВД, за месяц до этого заменившая старую охрану; ближайшие родственники — сестра Любченко и ее муж, брат Любченко Андрей и его теща, мать Марии Николаевны Крупеник, Прасковья Крупеник.

Уже в сентябре 1937 г. по Киеву и всей Украине стали ходить слухи о том, что Любченко и его жену застрелили. В настоящее время есть документ, косвенно подтверждающий подобную версию. Немецкое гестапо вело картотеку всех высокопоставленных партийных и советских работников. В карточке Любченко имеются две записи: первая — что он покончил жизнь самоубийством. Но после того, как гестапо поручает своей агентуре проверить факты, в карточке появилась вторая запись с указанием даты 11.10. 37 г.: «Согласно сообщению Министерства иностранных дел (политический отдел V/5713 от 4 октября 1937 г.) Любченко со своей женой 30 августа 1937 г. расстрелян ГПУ на своей квартире».

Мне не удалось достоверно установить, встречался ли Брежнев с первым руководителем Украины. Однако хорошо известно, что в 1931 г., когда Брежнев покинул голодную уральскую деревню и спешно вернулся к семье в Днепродзержинск, Панас Любченко часто выезжал в различные украинские регионы. В том году он побывал на строительстве Харьковского тракторного завода, на Днепрогэсе, шахтах Донбасса и на металлургических заводах Приднестровья.

«Главной опасностью для человечества является не изверг или садист, а *нормальный человек, наделенный необычайной властью*», — написал философ Э. Фромм.

Но разве Талаат-паша сам убивал миллионы армян? Разве Гитлер в одиночку убил миллионы евреев? Разве Сталин, засучив рукава, собственноручно расправлялся со своими политическими противниками?

Они не были одиноки, а располагали тысячами других людей, которые с удовольствием клеветали, пытали и умерщвляли. Чтобы тысячи и даже миллионы людей поставили на карту свои жизни и стали убийцами, им следовало внушить чувства ненависти, возмущения, деструктивность и страх.

При желании любой из читателей может найти в специальной литературе по психологии описания тех последствий, которые вызываются чувством страха и приводят человека к разочарованию и глубокому душевному потрясению.

Галине было восемь лет, когда массовые репрессии открыли ее отцу путь на верх советского политического Олимпа.

Нужно сказать, что после кровавой расправы с высшими партийными и советскими руководителями Украины их место занимают молодые выдвиженцы: Первым секретарем ЦК КП(б)У в самом начале 1938 г. становится Н. Хрущев. Он привел с собой новую команду, в числе которой значился и К. Грушевой, назначенный вторым секретарем Днепропетровского обкома партии.

С этим человеком Л. Брежнев был хорошо знаком: они вместе учились в металлургическом институте. (С ним он сохранил дружеские отношения на всю жизнь. Когда Л. Брежнев стал Генеральным секретарем ЦК КПСС, К. Грушевой в звании генерал-лейтенанта был назначен на должность начальника политуправления Московского ВО. Этот человек играл в ближнем окружении Л. Брежнева очень важную роль.) Поэтому нет ничего удивительного в том, что спустя ровно год после назначения заместителем председателя исполкома Днепродзержинского горсовета Л. И. Брежнев получает новое назначение, на этот раз более высокое, на пост заведующего отделом Днепропетровского обкома КП(б)У в мае 1938 г.

На ответственной партийной работе в Днепропетровске оказался и еще один хороший знакомый Л. Брежнева — П. Алферов. Именно К. Грушевой и П. Алферов пригласили Л. Брежнева на работу в Днепропетровск. Прошло меньше года, и в феврале 1939 г. Л. Брежнев назначается секретарем Днепропетровского обкома КП(б)У по пропаганде. На этом посту он готовил и проводил конференции, на которых избирались делегаты на внеочередной съезд компартии Украины. А еще через год, оставаясь одним из секретарей обкома, Л. Брежнев возглавил только что созданный отдел по оборонной промышленности.

Восхождение наверх по ступеням политической иерархии с 1937 по 1941 г. укрепило личные связи Л. Брежнева и с другими выпускниками Днепропетровского металлургического института (И. Новиковым, Г. Цукановым, Г. Павловым, Н. Тихоновым, Г. Циневым, Н. Щелоковым). Через три десятилетия, когда Л. Брежнев станет первым лицом государства, все они займут важные ответственные посты в его руководстве.

Одним из особенно близких Л. Брежневу людей станет Н. Щелоков. Работавший некоторое время после окончания института в одном из райкомов партии Днепропетровска, позже он стал председателем Днепропетровского горисполкома. После войны Н. Щелоков также все время находился где-то рядом с Л. Брежневым: то в аппарате ЦК КПУ, то на партийной работе в Молдавии.

Придя в 1964 г. к руководству партией, Л. И. Брежнев восстановил общесоюзное Министерство внутренних дел, упраздненное в 1960 г. по распоряжению Н. Хрущева, который наивно полагал, что общественный порядок и общественную безопасность может поддерживать непосредственно сам народ без каких-либо специальных сил и министерств.

Главное кресло в новом ведомстве и занял Н. Щелоков.

Так уже в те далекие годы начал складываться партийно-бюрократический клан, который станет основой и воплощением *брежнев-*

щины. И Н. Щелоков, и сам Л. Брежнев принадлежали к тому поколению партийных работников, которых В. Гроссман вывел в романе «Жизнь и судьба» в образе Гетманова:

«Дементий Трифонович Гетманов был родом из Ливен Воронежской области, но у него имелись долгие связи с украинскими товарищами, так как он много лет вел партийную работу на Украине...

Жизнь Дементия Трифоновича была довольно бедна внешними событиями. Он не участвовал в гражданской войне. Его не преследовали жандармы, и царский суд его никогда не высылал в Сибирь. Доклады на конференциях и съездах он обычно читал по рукописи. Читал он хорошо, — без запинок, с выражением, хотя писал доклады не сам. Правда, читать их было легко, их печатали крупным шрифтом, через два интервала, и имя Сталина выделено на них было особым красным шрифтом. Он был когда-то толковым, дисциплинированным пареньком, хотел учиться в механическом институте, но его мобилизовали на работу в органы безопасности, и вскоре он стал личным охранником секретаря крайкома. Потом его отметили и послали на партийную учебу, а затем он был взят на работу в партийный аппарат — сперва в организационно-инструкторский отдел крайкома, потом в управление кадров Центрального Комитета. Через год он стал инструктором отдела руководящих кадров. А вскоре после тридцать седьмого он сделался секретарем обкома партии, как говорили, — хозяином области.

Слово его могло решить судьбу заведующего университетской кафедрой, инженера, директора банка, председателя профессионального союза, крестьянского коллективного хозяйства, театральной постановки.

Доверие партии! Гетманов знал великое значение этих слов. Партия доверила ему! Весь его жизненный труд, где не было ни великих книг, ни знаменитых открытий, ни выигранных сражений, был трудом огромным, упорным, целеустремленным, особым, всегда напряженным, бессонным. Главный и высший смысл этого труда состоял в том, что возникал он по требованию партии и во имя интересов партии. Главная и высшая награда за этот труд состояла лишь в одном — в доверии партии.

Духом партийности, интересами партии должны были проникаться его решения в любых обстоятельствах, — шла ли речь о судьбе ребенка, которого определяют в детдом, о реорганизации кафедры биологии в университете, о выселении из помещения, принадлежащего библиотеке, артели, производящей пластмассовые изделия. Духом партийности должно быть проникнуто отношение руководителя к делу, к книге, к картине, и поэтому, как ни трудно это, он должен не колеблясь отказаться от привычного дела, от любимой книги, если интересы партии приходят в противоречие с его личными симпатиями. Но Гетманов знал: существовала более высокая степень партийности; ее суть была в том, что человек вообще не имеет ни склонностей, ни симпатий, могущих вступать в противоречие с духом партийности, — все близкое и дорогое для партийного руководителя потому и близко ему, потому только и дорого ему, что оно выражает дух партийности.

Подчас суровы, жестоки бывали жертвы, которые приносил Гетманов во имя духа партийности. Тут уже нет ни земляков, ни учителей, которым с юности обязан многим, тут уж не должно считаться ни с любовью, ни с жалостью. Здесь не должны тревожить такие слова, как «отвернулся», «не поддержал», «погубил», «предал»... Но дух партийности заключается в том, что жертва как раз-то и не нужна — не нужна потому, что личные чувства — любовь, дружба, землячество, — естественно, не могут сохраняться, если они противоречат духу партийности.

Незаметен труд людей, обладающих доверием партии. Но огромен этот труд, — нужно и ум, и душу тратить щедро, без остатка. Сила партийного руководителя не требовала таланта ученого, дарования писателя. Она оказывалась над талантом, над дарованием. Руководящее, решающее слово Гетманова жадно слушали сотни людей, обладавших даром исследования, пения, писания книг, хотя Гетманов не только не умел петь, играть на рояле, создавать театральные постановки, но и не умел со вкусом и глубиной понимать произведения науки, поэзии, музыки, живописи... Сила его решающего слова заключалась в том, что партия доверила ему свои интересы в области культуры и искусства.

Таким количеством власти, каким обладал он, секретарь областной партийной организации, вряд ли мог обладать народный трибун, мыслитель.

Гетманову казалось, что самая высокая суть понятия «доверие партии» выражалась в мнении, чувстве, отношении Сталина. В его доверии к своим соратникам, наркомам, маршалам и была суть партийной линии».

В этом описании представлен полный портрет и характер типичного представителя многочисленной армии выдвиженцев, которых, как я уже писала выше, слепой случай в лице кровавых репрессий вознес на недосягаемую высоту. Читая роман В. Гроссмана, я не могла не поразиться авторской способности обобщать. Читатель, знакомый с произведением В. Гроссмана, не может не согласиться, что если вместо фамилии «Гетманов» подставить фамилию «Брежнев» или «Щелоков», то описание даже в деталях будет соответствовать реальным биографиям.

«В ГОДИНУ
ТЯЖКИХ ИСПЫТАНИЙ»

Сражаемся и гибнем мы для себя, а побеждаем для тебя.

Нам — сражение, нам — гибель, а победа — тебе.

Обращение воинов
к императору Гонорию

Плохо приходится простому народу, когда сильные заспорят между собой.

Федр

Венец мужества — скромность.

Арабская пословица

О второй мировой войне и Великой Отечественной войне написаны сотни тысяч томов научных исследований, воспоминаний, сняты тысячи документальных и художественных фильмов. И все же нет и, как мне кажется, в ближайшее время не будет окончательной ясности в оценке столь грандиозной по своим масштабам мировой трагедии, унесшей жизни до 60 миллионов человек.

В мои планы не входит подробное рассмотрение причин и последствий этого грандиозного исторического события. Великая Отечественная война как явление интересует меня только в том плане, как и насколько она повлияла на жизнь и судьбу моих героев.

К лету 1941 г. Галина Брежнева закончила полный курс начального образования. Младший брат только пошел в школу. Как обычно летом, дети мечтали отправиться на отдых. Родители не посвящали их во взрослые разговоры, но по «предгрозовой» обстановке, которая царила в городе и во всей стране, по тревожным разговорам среди старших сверстников даже они чувствовали, что происходит что-то неладное.

Отец целыми днями пропадал на работе в обкоме. В то время он занимал пост секретаря Днепропетровского обкома КП(б)У по идеологии. Часто бывало так, что он уходил, когда дети еще спали, а возвращался на служебной «эмке», когда они уже забывались глубоким сном. А накануне войны он вообще оставался все время на работе, лишь изредка заскакивая домой или связываясь с семьей по телефону. И вот грянуло 22 июня, а с ним в нашу страну пришла беда.

Вот что пишет в своей книге о Брежневе Р. Медведев: «Если судить по книге «Малая земля», Брежнев в первый же день войны обратился с просьбой отправить его на фронт: «в тот же день просьба моя была удовлетворена: меня направили в распоряжение штаба Южного фронта». Однако по другим данным, Брежнев в первые недели войны находился в Днепропетровске, помогая эвакуации населения и предприятий из западных областей Украины».

О руководстве Л. Брежневым эвакуацией промышленных предприятий говорится и в документальном сериале Р. Кармена «Неизвестная война».

В очерке о Н. Щелокове В. Некрасов ссылается на воспоминания К. Грушевого (оба, как я отмечала, были знакомы между собой, потому что перед войной работали в Днепропетровске) и отмечает, что в первые дни войны, когда немцы приближались к городу, секретарь горкома Н. Мазнюк и председатель горсовета Н. Щелоков обратились в обком партии с предложением продать оставшиеся в городе продукты и другие товары по сниженным ценам населению, чтобы они не достались фашистам. На Щелокова и Мазнюка возлагалась персональная ответственность за возведение к 1 августа 1941 г. оборонительных рубежей вокруг Днепропетровска, а немного позже — за эвакуацию населения и материальных ценностей.

Брежнев подобной активности не проявил. Но и он не мог уйти на фронт просто так, без особого на то приказа, потому что являлся ответственным партийным работником. Кроме того, не мог будущий Генеральный секретарь ЦК КПСС в тяжкую годину не вспомнить и о том, кто по национальности его жена. Хотя в предвоенное время всякие разговоры о войне расценивались как «паникерство» и строго карались, в семье обязательно должны были поднимать вопрос о том, куда эвакуироваться на тот случай, если начнется война. Виктория Петровна была еврейкой, а у евреев, как известно, национальность определяется по матери. Следовательно, смертельная опасность нависла и над детьми Брежневых.

Брежнев уходил на фронт не так, как мы привыкли себе это представлять по кадрам документальной хроники и кинолентам. Он не стоял в очереди с военным билетом, чтобы, как призывали плакаты, записаться добровольцем.

Как разворачивались события первых недель войны на Украине, вспоминает в своих мемуарах Н. Хрущев, к тому времени назначенный членом Военного совета Главного командования Юго-Западного направления.

«Немцы вплотную подошли к Днепропетровску и обстреливали город. Днепропетровск защищала армия (или группа войск), которой командовал генерал Чибисов. Это был солидный, толстый, уже в летах человек, бывший офицер царской армии. Он прошел школу гражданской войны в Красной Армии. Сталин знал его лично, знал еще по Царицыну, и доверял ему. Я сказал Семену Михайловичу (Буденному. — *В. К.*), что поеду в Днепропетровск послушать Чибисова и секретаря обкома партии. Там был тогда секретарем обкома Задионченко. Я уважал его, он заслуживал этого: дельный и энергичный человек.

Поехал я. Приехал уже поздновато: смеркалось или даже было уже темно. Меня провели в расположение штаба, и я поднялся по лестнице. Штаб находился на втором или третьем этаже. Когда я зашел, командующий был на ногах, ходил по комнате. Тут же, у стола, стоял буквально на коленях и держал телефонную трубку, прижимая ее плечом, начальник штаба. Он что-то записывал в блокнот и давал ответы по телефону. Я спросил Чибисова о положении дел. «Положение? Да Вы сами видите какое». А в это время раздавались взрывы немецких снарядов. Немецкая артиллерия обстреливала район расположения штаба. Не знаю, случайно ли, но артиллерийский огонь был особенно интенсивным. Может быть, немцы знали, что тут находится штаб? В плен к ним попали и такие наши офицеры, которые знали место расположения штаба. Может быть, у кого-то не хватило выдержки, и он проговорился? А Чибисов мне сдержанно отвечал, но я чувствовал, что он раздражен. Он говорил, что организует оборону, но это было лишь заявление общего характера.

Я много раз уже слышал от разных командиров: как приедешь к ним, говорят, что организуем оборону, а потом, как уехал, смотришь, а командир следом за тобой убыл да и бросил оборонять этот участок. К сожалению, так было. Я далек от того, чтобы обвинять этих людей в умышленно неправильных докладах. Нет, просто складывалась такая обстановка, что командир не мог сказать, что сдаст обороняемый пункт. Это было исключено, потому что он мог поплатиться за это. А выразить какую-то надежду или, может быть, даже уверенность в том, что немцы тут не пройдут, а уже потом сказать, что под натиском превосходящих сил противника наши войска оставили данный район, — стандартная формулировка, и я к ней в ту пору привык. Спрашиваю Чибисова: «Как обстановка?» А обстановка была такая, что немцы вплотную подошли к Днепропетровску. «Вот, — отвечает, — видите картину?» Я не понял: «Какую?» — «А вот сидит полковник, начальник штаба. Он уже сидит так час или больше. И отвечает Вашему начальнику штаба генералу Покровскому про обстановку у нас на фронте. Он совершенно парализован, потому что не работает. Если он перестанет разговаривать по телефону, то его через 10—15 минут опять вызовут и будут держать час или два. Он даже не сидит, а стоит на коленях, потому что у него места, на которых сидит человек, заболели». Да так зло говорит это!

К сожалению, все это отвечало действительности. Но нужно сказать, что в то время опыт в военном деле у меня был очень небогатый. Поэтому я не знал, насколько Чибисов прав. Казалось, что он прав, но, с другой стороны, я относился к Покровскому с уважением, он ведь тоже руководствовался хорошими, честными побуждениями, хотел тоже знать истинное положение дел в войсках. Позже, когда я уже привык к военной жизни, много месяцев находясь в войсках, то понял, что, хотя бы и из хороших побуждений, Покровский выполнял неприемлемое дело. Действительно, парализуется вся работа из-за таких непрерывных вопросов. Взаимоотношения военных людей вообще весьма своеобразны и часто непонятны штатскому человеку...

В ту пору события в районе Днепропетровска развивались очень бурно, но не в нашу пользу. Мне несколько раз приходилось выезжать к Днепру, знакомиться с тем, как организована оборона по предупреждению его форсирования врагом. Когда я поездил и посмотрел, то понял, что эта оборона очень неустойчива. То была не сплошная оборона по берегу, а просто курсировали вооруженные речные катера Днепровской военной флотилии. Отдельные подразделения были размещены в определенных местах, наблюдали за берегом и в случае попытки форсирования должны были дать отпор. Такая оборона не внушала надежд. Если противник сосредоточит усилия на определенном направлении, то без особого труда может форсировать Днепр.

В те дни он не предпринимал каких-либо особых попыток ворваться в Киев. Мы успокоились и считали, что противник потерял охоту ворваться в Киев в лоб. Зато очень активные действия развивались севернее Киева, в сторону Гомеля... Гомель для нас, то есть для Юго-Западного фронта, послужил тем каналом, через который к нам прорвался противник и создал угрозу окружения наших войск под Киевом.

А на участке фронта у Днепропетровска завязались упорные бои. Враг форсировал Днепр. Нами был наведен понтонный мост, по которому отходили наши войска, но саперы, видимо, недостаточно хорошо затем разрушили его, и враг им воспользовался. Трудно было толком разобраться, как это случилось, потому что командование докладывало, что мост взорван, а быстрота, с которой враг оказался на левом берегу реки, свидетельствовала, что мост цел. Беженцы с левого берега сообщили, что мост взорван, но сохранил способность держаться на воде. Видимо, враг этим воспользовался: перебросил пехоту, а потом восстановил мост и перебросил технику. Вновь завязались очень тяжелые бои.

Мы с Буденным выехали к Малиновскому. Вместо погибшей в окружении прежней 6-й армии была создана новая, и ей был присвоен тот же номер. Командующим этой-то армией и был назначен Малиновский. Раньше Малиновский мне был неизвестен. Раньше он командовал корпусом. Штаб армии располагался, по-моему, в школе города Новомосковска. Приехали мы. Было очень тяжелая обстановка, противник все время держал дорогу под бомбежкой, чтобы нам нельзя было подбрасывать подкрепление. Но у нас нечего было подбрасывать. Вошли мы с Буденным в школу и увидели такую картину: кругом все гудит, гремит; докладывает обстановку командующий 6-й армией Малиновский, и в это же время принесли на носилках командующего войсками Южного фронта Тюленева. Рана у него была несерьезная, но ходить он не мог, так как был ранен в ногу (повреждена мякоть). Тюленев для вдохновения бойцов сам пошел в их рядах, повел их в атаку на противника и при разрыве мины был ранен. С ним же пришел секретарь обкома партии Задионченко.

После ранения Тюленева командующим войсками Южного фронта был назначен казак, который до того командовал танковым корпусом, по фамилии Рябышев. Было сделано все, что в наших силах, чтобы отбросить противника и не позволить ему создать опорный плацдарм на левом берегу Днепра. Но наши усилия не увенчались успехом. Реальных сил, реальных возможностей у нас не имелось. В это же время мы обнаружили, что противник, концентрируя войска, пытается форсировать Днепр севернее Днепропетровска, в районе Кременчуга. Опять было предпринято все, что в наших силах: направили туда авиацию, бомбили на подходах к реке танковые войска и пехоту противника, чтоб не позволить ему форсировать Днепр. Но противник все-таки форсировал реку и создал плацдарм, помимо района Днепропетровска, еще и в районе Кременчуга и занял левобережную часть этого города.

Когда мы стали разгадывать, какие ж дальнейшие намерения имеет противник, то вырисовалась достаточно яркая, ясная картина. Его замысел нам представлялся таким: ударом с юга, с плацдарма у Кременчуга, и ударом с севера, где противник вышел почти что к Курску, прорваться по нашим тылам (войск-то там у нас не было) и замкнуть окружение наших войск, расположенных по Днепру у Черкасс и за Днепром в Киеве. Мы обсудили сложившуюся обстановку. Дополнительных сил в нашем распоряжении не было. Даже разгадав вражеский замысел, мы не смогли парализовать его осуществление. У нас созрело такое решение: взять некоторое количество войск, артиллерии и прикрыться на фланге в направлении от Киева к Кременчугу, с тем чтобы здесь, в украинских степях, было чем преградить немцам путь на север и не дать им возможности сомкнуть кольцо. Что мы могли взять? Было видно, что войска, которые имелись в Киеве, пока не используются. Там создалась тихая обстановка, и противник никаких усилий против Киева не предпринимал».

Приведенный отрывок дает определенное представление не только о том критическом положении, которое сложилось накануне и в первые недели войны. В нем, пусть даже самым тщательным образом правленном умелой редакторской рукой, на поверхность проступает удушливая атмосфера страха, растерянности и всеобщего тупоумия, которая царила не только среди гражданского населения, но и среди военных.

В самом начале войны советских людей постигало одно разочарование за другим. Киев пал 19 сентября 1941 г. Теряла смысл стратегическая оборона Одессы, которая держалась в глубоком тылу несколько месяцев. Решение о переброске войск из-под Одессы к Севастополю оказалось запоздалым: немцы уже прорвались через Крымские перешейки, которые за три месяца вполне можно было превратить

102

в неприступный плацдарм. Враг подошел к Севастополю, предстояли 8 месяцев беспримерной обороны города.

По разработанной немецким генеральным штабом и утвержденной Гитлером операции «Тайфун» войскам вермахта предписывалось в сентябре захватить и затопить Москву. 16 сентября многие москвичи в спешном порядке стали покидать столицу, а 19 сентября, в день начала немецкой операции, город был объявлен на военном положении.

В это время Брежнев находился в распоряжении штаба Южного фронта, куда был направлен не в самом начале войны, а только в середине июля. Военная обстановка все время менялась, войска несли огромные потери в живой силе и технике. Но Южный фронт, несмотря на довольно частую смену командующих (сначала Тюленев, потом Рябышев, затем Черевиченко, а после Малиновский), в первые месяцы войны оборонялся относительно успешно. Его войска отступали намного медленнее, чем войска фронтов северо-западного и центрального направления.

«Это объяснялось отчасти и тем, — пишет Р. Медведев, — что против Южного фронта действовали в основном подразделения румынской армии, немецких дивизий здесь было немного. Только к концу июля войска Южного фронта отошли за Днестр, а в конце августа за Днепр и затем далее».

При всем этом часть войск Южного фронта, идя за паникерами, оставила Ростов и Новочеркасск без серьезного сопротивления и без приказа из Москвы, что в скором будущем станет одним из поводов появления на свет знаменитого приказа № 227.

Противостояние под Москвой закончилось провалом немецкой операции «Тайфун». Советские войска в середине ноября начали наступление. Армия Гудериана бросила под Тулой три четверти своей техники, едва вырвавшись из окружения. К концу января 1942 г. группа армий «Центр» была отброшена от Москвы на 200—400 км.

Тогда немцы возобновили активные действия в Крыму. Силы Крымского фронта по численности личного состава и вооружения превосходили 11-ю армию генерала Манштейна. Уже несколько месяцев защитники Крыма стойко удерживали свои позиции. Но в мае 1942 г. Крымский фронт в течение 10 дней потерпел сокрушительное поражение под Керчью.

Причиной стали не столько умелые действия немецкого командования, сколько безграмотные приказы представителя ставки Л. Мехлиса, присланного Сталиным. Триста тысяч защитников Керчи погибли или попали в плен. После этого безнадежным стало положение Севастополя. Немцы смогли сосредоточить все силы 11-й армии в одной точке. Защитники города ушли в катакомбы. Корабли, которые пытались прорваться им на помощь, тонули. И все же морякам удалось доставить в город подкрепление численностью 20 тысяч человек и вывезти столько же раненых.

Тогда же, в мае 1942 г., с подачи Тимошенко и Хрущева и по приказу Сталина была осуществлена авантюра, против которой высказались Жуков, Шапошников и Василевский. Авантюра заключалась в проведении локальной операции по освобождению Харькова. В течение десяти дней оправдались самые худшие опасения, однако Сталин не разрешил войскам отступить. Результатом, как упоминалось выше, стала гибель главных сил Юго-Западного фронта.

В том же 1942 г. за участие в Барвенковско-Лозовской операции заместитель начальника политуправления Южного фронта Леонид Брежнев был награжден первым боевым орденом — орденом Красного Знамени.

2 июня немцы приступили к артподготовке, бомбежке с воздуха, а 7 июня перешли в наступление. Почти месяц длилось ожесточенное сопротивление, но 4 июля защитники вынуждены были отступить.

Из-за угрозы возможного окружения вынуждены были отступить и войска Юго-Западного и Южного фронтов. Они оставили Донбасс, а затем и Ростов. Немцы захватили левый берег Дона.

Летом 1942 г. произошли существенные изменения в военном руководстве. Вместо Шапошникова начальником Генерального штаба Сталин назначил Василевского. Его заместителем стал генерал А. Антонов. Генеральный штаб верно определил ключевое значение Сталинграда. 12 июля в тылу был создан Сталинградский фронт. Поначалу командовать им был назначен маршал Тимошенко, но через две недели Сталин сменил его на генерала Василия Гордова.

Во главе фронтов, находившихся в непосредственной близости к Сталинграду, стояли: Брянский фронт — Рокоссовский, Воронежский фронт — Ватутин.

Тем временем немцы, опьяненные успехом, рвались на Кавказ. Части Южного и Северо-Кавказского фронтов не могли дать врагу достойный отпор. Они стремительно отходили к предгорьям Кавказа и частично к Сталинграду. Это отступление породило сталинградский приказ № 227 от 28 июля 1942 г. «Ни шагу назад!». Всю вину Сталин поспешил возложить на солдат и офицеров и настоял на введении жестких репрессивных мер в армии: за отход с позиций без приказа командир любого ранга приговаривался к расстрелу без суда и следствия. На фронтах из сотрудников НКВД стали формироваться заградительные отряды. Они открывали огонь по своим же при малейшей попытке к отступлению, даже если того требовал тактический маневр.

Следует отметить, что создаваемые позади наступающих частей Красной Армии заградотряды не были нововведением Сталина. После битвы под Москвой, когда боевой дух немецких солдат упал, Гитлер тоже принял репрессивные меры: позади наступающих приказано было выставлять заградительные отряды. Ссылаясь на опыт Гитлера, Ставка решила ввести подобный метод в Красной Армии. В приказе было указано, что немцы сформировали специальные отряды заграждения, поставили их позади неустойчивых дивизий и велели расстреливать на месте паникеров в случае попытки самовольного оставления позиций и в случае попытки сдаться в плен. «...Эти меры возымели свое действие, и теперь немецкие войска дерутся лучше, чем они дрались зимой... Не следует ли нам поучиться в этом деле у наших врагов...», — говорилось в приказе.

В нем также указывалось, что на оккупированной противником территории мы потеряли 70 миллионов человек, более 800 миллионов пудов хлеба. «Отступать дальше — значит загубить себя и загубить вместе с тем нашу Родину. Каждый новый клочок оставленной нами территории будет всемерно усиливать врага и всемерно ослаблять нашу оборону, нашу Родину... Ни шагу назад! Таким теперь должен быть наш главный призыв. Надо упорно, до последней капли крови защищать каждую позицию, каждый метр советской территории, цепляться за каждый клочок советской земли и отстаивать его до последней возможности...»

В приказе «Ни шагу назад!» говорилось и о введении офицерских штрафных батальонов, а также штрафных рот для рядового и сержантского состава Красной Армии.

Нельзя не согласиться, что жесткий категоричный тон приказа в определенных местах можно понять. Скажем, такие слова, как «нельзя терпеть дальше, когда командиры, комиссары и политработники допускают, чтобы несколько паникеров определяли положение на поле боя, чтобы они увлекали в отступление других бойцов и открывали фронт врагу. Паникеры и трусы должны истребляться на месте...». Но вот как отнестись к такому положению: «Командиры роты, батальона, полка, дивизии, соответствующие комиссары и политработники, отступающие с боевых позиций без приказа свыше, являются предателями Родины. С такими командирами и политработниками и поступать надо, как с предателями Родины...»?

Однако приказ Сталина не изменил ситуацию. Армейская группа «А» продолжала наступление на Кавказе.

В августе ситуация стала критической. Гитлеровские войска пробились к Кавказскому хребту и на черноморское побережье Кавказа. Они атаковали Новороссийск и Туапсе. В планы немцев входил не только захват хлебных и нефтяных месторождений, но и прорыв в Иран. Гитлер стремился лишить СССР помощи союзников, поступавшей через Иран, и нанести удар по Индии и Ближнему Востоку.

Осенью 1942 г. Брежнев был назначен заместителем начальника политуправления Черноморской группы войск Закавказского фронта и направлен на Кавказ, где зимой удалось остановить немецкое наступление. Красная Армия не позволила немецким танковым армиям прорваться к Грозному и Баку.

Тем временем немцы вышли к Волге. Сталинград подвергся массированным бомбардировкам. Поскольку Сталин не разрешил жителям эвакуироваться, большинство из них погибло. Самой страшной была бомбардировка 23 августа, когда 2 тысячи самолетов совершили 10 тысяч вылетов. В сентябре-октябре у города и в самом городе развернулись жестокие бои. Сталинград защищали 62-я армия под командованием генерала Чуйкова, 64-я армия генерала Шумилова, во главе фронта стоял А. Еременко и член Военного совета Н. Хрущев. Координировали оборону Г. Жуков и А. Василевский. На флангах им противостояли итальянская и румынская армии, а в центре — 6-я армия Паулюса, от которого Гитлер требовал немедленного взятия Сталинграда.

Героическая стойкость обороняющих Сталинград, почти не получавших подкрепления, позволила советскому командованию собрать силы и подготовить операцию «Уран». Ее целью было окружение и уничтожение наступательной группировки противника.

В районе Сталинграда в обстановке строжайшей секретности начали скапливать крупные резервы. Немецкой разведке не удалось вовремя обнаружить сосредоточение крупных сил на флангах 6-й армии. Гитлер был уверен, что сил для контрнаступления у русских нет, поэтому взятие Сталинграда — вопрос нескольких дней. Наступала зима, и немцам во что бы то ни стало нужно было подавить сопротивление, сосредоточенное на нескольких островках разрушенного города.

Их боевые порядки сохраняли наступательный характер. В начале ноября они делают отчаянную попытку покончить с сопротивлением, а 9 ноября советские войска начали небывалое контрнаступление. Войска Юго-Западного и Донского фронтов, а на следующий день Сталинградского фронта нанесли удар по итальянской и румынской армиям, защищавшим фланги Паулюса. Масштаб контрнаступления оказался для вермахта полной неожиданностью. Уже 23 ноября советские войска вошли в Калач-на-Дону. Наступавшие с севера и юга части соединились, отрезав более чем трехсоттысячную группировку немцев.

Гитлер спешно создает группу армий «Дон» под командованием своего лучшего генерала Манштейна. Он требует во что бы то ни стало остановить советское наступление. План Манштейна заключался в том, чтобы окруженные войска попытались пробиться к деблокирующим армии. Но Гитлер не разрешил отступать от Сталинграда, а все попытки прервать окружение были остановлены в результате операции «Сатурн» на Среднем Дону.

Положение армии Паулюса с каждым днем становилось все более катастрофическим, но предложение о капитуляции было отвергнуто.

Покончить с Паулюсом Сталин поручил Донскому фронту под командованием Рокоссовского. Сталинградский фронт Еременко был просто расформирован. Генералу было нанесено смертельное оскорбление.

В течение января Красная Армия сломила сопротивление армии Паулюса, а 2 февраля

1943 г. окруженные сдались. В плен попало более 90 тысяч солдат и офицеров, 24 генерала и один фельдмаршал — Фридрих Вильгельм фон Паулюс. За день до капитуляции Гитлер произвел его в генерал-фельдмаршалы, что уже никак не могло повлиять на судьбу 6-й армии и ее командующего. Только небольшая часть плененных пережила зиму, большинство умерло от голода, холода и повальных эпидемий.

В начале 1943 г. Красная Армия вытеснила немцев с Северного Кавказа, освободив половину Донецкого бассейна, и сняла блокаду Ленинграда.

Теперь Гитлеру как воздух нужна была победа. Он жаждал реванша за разгром 22 дивизий под Сталинградом. Германский генеральный штаб приступил к разработке операции «Цитадель». В надежде переломить ход войны верховное командование вермахта решило нанести противнику массированный удар одновременно с севера — со стороны Орла и с юга — со стороны Харькова.

Помимо ликвидации курского выступа, образованного Красной Армией, конечной целью было развернуть решающее наступление на Москву. В подписанных Гитлером оперативных приказах говорилось, что операция «Цитадель» должна привести к быстрому и решительному разгрому советских вооруженных сил на центральном участке фронта и позволить перехватить стратегическую инициативу.

С немецкой стороны в операции «Цитадель» должны были участвовать 17 танковых дивизий (70 % от общего числа), оснащенных новейшими тяжелыми танками «Пантера» и «Тигр», а также самоходными орудиями «Фердинанд» повышенной проходимости. Для участия в операции было сосредоточено около 900 тысяч солдат, 10 тысяч орудий, 2700 танков и 2 тысячи самолетов.

Во главе всей этой армады Гитлер поставил фельдмаршалов фон Клюге, за свою компетентность прозванного «Мудрым Хансом», и фон Манштейна. Им противостояли Брянский фронт генерала Попова, Центральный фронт маршала Рокоссовского, Воронежский фронт генерала Ватутина и Юго-Западный фронт генерала Малиновского. В резерве находился Степной фронт генерала Конева. Численность Красной Армии была примерно в два раза выше, чем у противника. Глубина обороны составляла 70 км. Полуголодная страна сумела обеспечить свою армию вооружением, количественно и качественно превосходившим немецкое.

5 июля 1943 г. началось самое крупное танковое сражение 2-й мировой войны. Заблаговременно полученная советской разведкой информация о планируемом немецком наступлении позволила командующим Центральным и Воронежским фронтами нанести упреждающий массированный артиллерийский удар. Не ожидавшее этого немецкое командование вынуждено было на несколько часов отложить наступление.

К 12 июля немецкое наступление потеряло

темп — немцы продвинулись всего на 12 км с севера и на 35 км с юга. Попытка окружения и разгрома сосредоточенных на Курской дуге советских войск провалилась. Немцы потеряли 30 дивизий, в том числе 7 танковых.

«В результате провала операции «Цитадель» танковые войска, пополненные с таким трудом, понесли большие потери в людях и технике и надолго потеряли свою боеспособность, — писал в своих мемуарах «Утраченные победы» в 1955 г. фельдмаршал Манштейн. — Русские, разумеется, не преминули воспользоваться своей победой. С этих пор на Восточном фронте для нас не было ни минуты покоя».

Весной 1943 г. Брежнева назначают начальником политуправления 18-й армии. Как раз тогда в Красной Армии прошла реорганизация воинских званий, вводились погоны. Звание бригадного комиссара было упразднено. Бригадные комиссары получали звания полковников и генерал-майоров. Поначалу Брежневу было присвоено звание полковника, но в том же 1943 г. он стал генерал-майором.

«Если судить по официальной биографии Брежнева, то можно сделать вывод, что начальник политотдела всегда был вторым человеком в армии, — пишет в своей книге Р. Медведев. — Это не так. Главным политическим руководителем и в составе армии, и в составе фронта был член Военного совета, который утверждался непосредственно в ЦК ВКП(б) и считался главным представителем партии в военном руководстве. Он принимал обязательное участие в разработке оперативных планов и иногда получал наименование «Первый член Военного совета». Начальники политотдела армии имели другие обязанности. Они руководили работой партийных и комсомольских организаций, агитационно-пропагандистской работой, армейской печатью, подготовкой наградных документов и др. Под руководством политотделов проводились партийные и комсомольские собрания в частях армии, прием в партию. Нередко Брежнев лично вручал партийные билеты принятым в партию солдатам и офицерам».

В добавление должна сказать, что после тиражирования творений Брежнева у многих людей невольно складывалось впечатление, будто он чуть ли не в одиночку руководил партийной работой во время войны и будто с ним все советовались не только по различным вопросам в партийной области, но и в отношении проведения боевых операций.

Между тем Брежнев был всего лишь одним из десятков тысяч политработников Красной Армии и ничем среди них не выделялся. В своей книге «Семь вождей» Д. Волкогонов приводит на него характеристику, сделанную полковым комиссаром ПУРККА Верхорубовым, который проверял работу политотдела 18-й армии. Отметив преданность Брежнева партии Ленина—Сталина, полковой комиссар сделал следующую запись: «Черновой работы чурается. Военные знания товарища Брежнева весьма слабые. Многие вопросы решает как хозяйственник, а не как политработник. К людям относится не одинаково ровно, склонен иметь любимчиков».

Как видно, еще из довоенной жизни и служебной карьеры Брежнев хорошо усвоил железный принцип: подальше от начальства, поближе к кухне. Аттестации, подобные приведенной выше, вряд ли могли способствовать быстрому продвижению Брежнева по служебной лестнице. Долгое время пробыв начальником политотдела 18-й армии, он только в самом конце войны был назначен начальником политуправления 4-го Украинского фронта, который вел боевые действия на территории Чехословакии.

Что касается последующего прославления «бессмертного подвига» 18-й армии генерала Гречко и ее подвига на «Малой земле», то это был лишь один из бесчисленного множества подобных эпизодов на фронтах Великой Отечественной войны.

Военная операция на так называемой «Малой земле» заключалась в том, чтобы создать отвлекающий маневр для противника при подготовке командованием Северо-Кавказского фронта Краснодарской операции. С 4 по 9 февраля Черноморский флот должен был высадить в районе Мысхако (южнее Новороссийска) десант из 15 тысяч добровольцев с кораблей и частей Новороссийской военно-морской базы с танками и артиллерией под командованием майора Цезаря Куникова. Однако свои коррективы в план командования внесла штормовая погода, и основная сила десанта не сумела высадиться на берег. Обманный же десант майора Куникова сумел закрепиться на небольшом клочке земли площадью четыре на два километра. Он, таким образом, из обманного превратился в основной. Позже этот плацдарм и назвали «Малой землей».

Сам полковник Брежнев не входил в число добровольцев-десантников. Как пишет Р. Медведев, «в течение всех 225 дней боев на «Малой земле» и штаб 18-й армии, и ее политотдел находились на «Большой земле» в относительной безопасности. Как можно судить и по небольшой книжке «воспоминаний» Брежнева «Малая земля», он прибывал на плацдарм два раза: один раз с бригадой ЦК партии, другой — для вручения партийных билетов и наград солдатам и офицерам. В большой документальной повести Георгия Соколова «Малая земля», автор которой, как говорится в предисловии, все «семь долгих месяцев находился в гуще боев на «Малой земле», мы можем найти всего два упоминания о Брежневе — «худом полковнике с большими черными бровями». Разумеется, даже редкие поездки на «Малую землю» были сопряжены с немалой опасностью. Как рассказывал еще в 1958 г. бывший военный корреспондент С. А. Борзенко, «однажды сейнер, на котором плыл Брежнев, напоролся на мину, полковника выбросило в море, и там его в бессознательном состоянии подобрали матросы».

Этот эпизод — с кем не бывает? — в годы правления Брежнева исчез из его боевой биографии. Вместо него возникла легенда о том, что превосходный пловец Леонид Брежнев не только самостоятельно выбрался из ледяной воды, но и помог втащить на борт сейнера несколько ослабевших матросов (!). (Фальсификация проводилась настолько бесцеремонно, что даже маршалу Жукову ненавязчиво намекали на то, чтобы он вписал в свои «Воспоминания и размышления» пару фраз о полковнике Брежневе.)

Когда десант не только закрепился, но и сумел расширить плацдарм до тридцати километров, командование Северо-Кавказского фронта приняло решение послать на подкрепление Куникову несколько стрелковых бригад и партизанских отрядов. Главное руководство десантом было передано оперативной группе 18-й армии генерал-майора Гречко. Настойчивые попытки немецких войск сбросить десант в море потерпели крах. Советские воины создали хорошо укрепленный плацдарм и удерживали его более семи месяцев, до начала Новороссийско-Таманской наступательной операции в сентябре 1943 г.

В сентябре 1943 г. все фронты на юге перешли в наступление. Войска Юго-Западного и Южного фронтов освободили территорию Донбасса и отрезали Крым. Немцам пришлось распрощаться с мыслью о покорении Кавказа. В их руках оставалась лишь крайняя западная оконечность — Таманский полуостров.

16 сентября был освобожден порт Новороссийск, в котором в живых осталось лишь не-

сколько десятков жителей, а сам город лежал в руинах.

Отступая от Днепра, немцы взорвали все мосты. Сталин приказал форсировать реку сходу. Бойцы переправлялись вплавь с помощью различных подручных средств, использовали даже плащ-палатки, набитые соломой. Они не только выполнили приказ, но и сумели закрепиться на правом берегу Днепра. Две с половиной тысячи солдат и офицеров получили за это звание Героев Советского Союза, большинство посмертно.

В сентябре-октябре войска Брянского, Калининского и Западного фронтов освободили Смоленск и вступили на территорию Белоруссии. 6 ноября войска 1-го Украинского фронта генерала Ватутина взяли Киев.

В ноябре 1943 г. в Тегеране состоялась конференция глав государств союзников. К этому времени союзники уже три месяца вели бои в Италии. Но главным театром военных действий по-прежнему оставался Восточный фронт. На конференции Сталин настоял на отсрочке решения послевоенной судьбы Германии. Он был прав. Если бы в Тегеране был поднят вопрос о безоговорочной капитуляции, германские военные и политики стали бы действовать по принципу выжженной земли и продолжали бы сопротивление даже после капитуляции. Кроме того, Сталин, по всей видимости, знал о готовившемся покушении на Гитлера и не хотел мешать заговорщикам.

Заканчивался третий год войны. В течение

его СССР потерял более трех миллионов человек, немцы — в 2,5 раза меньше. Но Сталина не интересовали жертвы. «Цель оправдывает средства», — любил повторять он.

Наступая по всей Украине, советские фронты вынудили противника сосредоточить основные силы именно на юге. Благодаря этому командование Красной Армии получило возможность спланировать и нанести удар по врагу под Ленинградом, Новгородом и в Прибалтике. Главной задачей 1944 г. Ставка считала освобождение Белоруссии и выход к границам Германии.

Немцы оказались бессильны сдержать наступление 1-го и 2-го Украинских фронтов под командованием генералов Ватутина и Конева. В январе они окружили крупную группировку у Корсунь-Шевченковского.

Основную задачу выполнил 1-й Украинский фронт Ватутина, но когда кольцо окружения замкнулось, Сталин передал командование всеми войсками по ликвидации котла Коневу, тем самым поссорив его с Ватутиным. Несмотря на яростное сопротивление, 10 дивизий не смогли вырваться из окружения. Что же касается генералов, то на этот раз судьба спутала Сталину карты. 29 февраля Ватутин был смертельно ранен в схватке с украинскими националистами, устроившими засаду на командующего.

В марте войска 1-го и 2-го Украинских фронтов быстро продвигались на Запад. 26 марта передовые отряды Конева, произведенного в маршалы, вышли к реке Прут, по которой проходила государственная граница СССР с Румынией. 3-й Украинский фронт в то же время приближался к Одессе. 10 апреля город был освобожден, а двумя днями раньше 4-й Украинский фронт во главе с генералом Толбухиным и Отдельная приморская армия генерала Еременко начали операцию по освобождению Крыма.

17-я армия вермахта (7 румынских и 5 немецких дивизий) упорно сопротивлялась, но была в безнадежном положении. Через месяц битва за Крым приблизилась к завершению. Немцы удерживали только Севастополь.

Ключом к городу была хорошо укрепленная Сапун-гора: она была взята штурмом 7 мая, а спустя два дня немцы прекратили сопротивление и начали сдаваться.

В ночь на 6 июня 1944 г. союзники открыли второй фронт и начали операцию «Оверлот». Почти миллион солдат высадились в Нормандии. Войсками руководил главнокомандующий генерал Эйзенхауэр. Командующим американской группой был генерал Бредли, английской — генерал Монтгомери. В состав десанта входила и французская дивизия генерала Леклерка. Именно она первой войдет в Париж, придя на помощь восставшим жителям.

Советские войска тем временем проводили главную операцию 1944 г. — «Багратион». В задачу 1-го Прибалтийского и трех Белорусских фронтов входило расчленение и уничтожение группы армий «Центр». Фронтами командовали генералы Баграмян, Черняховский,

Захаров и Рокоссовский. Маршалы Жуков и Василевский координировали действия четырех фронтов.

Наступление началось 23 июня, а спустя три дня командование группы армий «Центр» запросило у Гитлера разрешения отойти, но получило категоричный отказ, что обрекло десятки тысяч солдат и офицеров на неминуемую гибель и плен.

Гитлеровские войска потерпели поражение и на Балканах. 20 августа соединение 2-го и 3-го Украинских фронтов начало наступление на группу армий «Южная Украина». За два дня они отрезали от главных сил 3-ю Румынскую армию и 23 августа заставили ее капитулировать. В тот же день молодой король Михай вызвал к себе и арестовал диктатора маршала Антонеску. К власти в Румынии пришло правительство, которое объявило войну Германии. 31 августа советские войска без боя вступили в Бухарест. Сталин удостоил короля Михая ордена «Победа», высшей советской награды полководца. Румынская армия начала боевые действия против немцев.

Соединение группы армий «Южная Украина» попыталось через Карпаты прорваться в Венгрию, но лишь 7 из 18 дивизий прорвали кольцо окружения. Остальные были окружены и уничтожены к 4 сентября.

Спустя несколько дней передовые части Красной Армии вступили на территорию Болгарии. 9 сентября болгарские коммунисты подняли восстание, к ним примкнула армия. В последних числах сентября войска 3-го Украинского фронта маршала Толбухина перешли болгаро-югославскую границу и соединились с югославской армией маршала Иосифа Броз Тито. Действуя совместно, они двинулись к Белграду и освободили его 20 октября.

После Белграда советские войска двинулись в Венгрию. Севернее озера Балатон в районе Комарно 6-я танковая дивизия СС генерала Дитриха нанесла армиям 3-го Украинского фронта несколько сильных контрударов, из-за чего замедлилось запланированное продвижение на Австрию и Чехословакию. Бои в Венгрии продолжались всю зиму. Будапешт удалось взять только в середине февраля 1945 г.

Под Будапештом в который уже раз за войну Сталин напрасно пожертвовал сотнями тысяч своих солдат. Стоило ему только отдать приказ о временном переходе к обороне, и действия 6-й танковой дивизии СС не были бы столь эффективны. Но в тот момент возразить Сталину было некому. Войну он решил завершить как единоличный руководитель всех боевых операций, поэтому отменил институт представителей Ставки на фронтах. Жуков и Василевский, прекрасно знавшие цену стратегическим талантам диктатора, смолчали.

Начиная кампанию 1945 г., Сталин совершил очередную рокировку в своей манере. Он назначил командующим 1-м Белорусским фронтом маршала Жукова, который должен был наступать в главном направлении — через Польшу на Берлин. Маршал Рокоссовский, до того командовавший этим фронтом, был отправлен на менее важный 2-й Белорусский. За это Рокоссовский смертельно обиделся почему-то не на Сталина, а на Жукова.

Одновременно с 1-м Белорусским должен был наступать и 1-й Украинский маршала Конева. Численность обеих группировок составила около 2 миллионов человек. Наступление началось 12 января, на полторы недели раньше намеченного Генеральным штабом срока. Это объяснялось просьбой союзников облегчить их положение, вызванное контрнаступлением немцев в Арденнах и Вогезах. Советские войска не были достаточно подготовлены к наступлению, но Сталину не было до этого никакого дела. Из-за плохой погоды наступавшие остались без поддержки авиации. Несмотря на это, войска маршала Жукова смогли пройти через Польшу и выйти к германской границе всего за 17 дней. 3 февраля шесть армий, включая три танковых, форсировали Одер. Южнее реку преодолели армии маршала Конева.

До Берлина осталось не более 50 км. Но Сталину не хотелось заканчивать войну в феврале. Вскоре должна была начаться конференция в Крыму. Сталин понимал, что может рассчитывать на уступки союзников до тех пор, пока Германия сопротивляется. Поэтому он приказал остановить наступление и повернуть на Север, в Померанию.

С 4 по 11 февраля 1945 г. в Ялте проходила конференция. Она подтвердила власть Сталина над территориями, занятыми советскими войсками. С европейской карты исчезла Восточная Пруссия, поделенная между Польшей и СССР. Что касается Польши, то Сталин добился установления на ее территории просоветского режима. За обещание воевать против Японии СССР получил Южный Сахалин, Курилы и Порт-Артур. Сталин, Черчилль и Рузвельт договорились собрать первое заседание ООН 25 апреля в Сан-Франциско.

К апрелю 1945 г. у семимиллионной немецкой армии почти не осталось территории для отступления. У нее оставалась узкая полоска между Шпрее и Эльбой. Гитлер требовал сопротивляться до конца. Были мобилизованы все, кто мог держать оружие.

16 апреля началась Берлинская операция. Первоначальный замысел Сталина предполагал штурм столицы рейха силами одного 1-го Белорусского фронта маршала Жукова. К каким масштабным и бессмысленным человеческим жертвам это могло привести, можно лишь догадываться. Начальник Генерального штаба генерал Антонов настоял, чтобы фронт маршала Конева нанес фланговый удар по Берлину. Разгневанный Сталин согласился, но Антонов вскоре был смещен с должности и не получил звание маршала, зато были спасены сотни тысяч человеческих жизней.

21 апреля передовые части обоих фронтов вошли на окраины города. Еще через четыре дня Берлин был полностью окружен. В тот день произошло историческое событие — 25 апреля на Эльбе у города Торгау встретились советские и американские войска.

Начиналось десятидневное сражение на улицах Берлина. Четырехмиллионный город, которому неоткуда было ждать помощи, остался без электричества, продовольствия и боеприпасов. В таком положении он не смог бы долго сопротивляться и вскоре капитулировал бы. Но Сталину нужна была битва, которая стала бы апофеозом войны. И штурм Берлина был продолжен, унеся с собой более миллиона жизней советских солдат и офицеров.

Утром 30 апреля начался штурм рейхстага. В тот же день Гитлер покончил жизнь самоубийством. Своим преемником он назначил гросс-адмирала Дёница. Власть в Берлине, как главе правительства, перешла к Геббельсу. Они предложили Сталину обсудить условия капитуляции, но тот отказался: «Обсуждать нечего, капитуляция должна быть безоговорочной».

2 мая комендант Берлина Вейдлинг заявил о безоговорочной капитуляции и приказал берлинскому гарнизону сложить оружие. Берлинский гарнизон стал сдаваться в плен. Всего в ходе операции в плен попало около 400 тысяч солдат и офицеров.

5 мая восстала Прага. Город оказался на пути группировки фельдмаршала Шёрнера, который пробивался на Запад, чтобы сдаться союзникам. Прага была в смертельной опасности. Первый натиск удалось выдержать с помощью РОА генерала Власова. Но атаки нацистов продолжились, город подвергся бомбежке. Союзники предложили Сталину

помощь в наступлении, но тот отверг их предложение. Он хотел сам стать освободителем Праги.

И стал им. Для этого танковым частям маршала Конева пришлось совершить марш-бросок от самого Берлина. Они прорвались через Рудные горы и вошли в Прагу 9 мая.

Акт о безоговорочной капитуляции был подписан дважды. Первый раз гросс-адмирал Карл Дёниц сделал это в Реймсе ночью 7 мая 1945 г.

Узнав об этом, Сталин был разгневан. Он приказал маршалу Жукову устроить официальное подписание капитуляции в Берлине. Союзники не стали возражать и прислали своих представителей. В ночь с 8 на 9 мая 1945 г. в предместье Берлина в здании юнкерской школы Карлхорст был подписан вторично и окончательно акт о безоговорочной капитуляции. От имени побежденных это сделал фельдмаршал Вильгельм Кейтель. От имени победителей подписи поставили: заместитель Верховного Главнокомандующего маршал Георгий Жуков, от Великобритании — главный маршал авиации Тедер, от США генерал Спетс, от Франции — генерал де Тесиньи.

Генерал-майор Брежнев встретил этот праздник в Праге. Вместе с войсками 1-го Украинского фронта находился 4-й Украинский, начальником политотдела которого он был назначен в конце 1944 г.

«Не слишком обильными были и его награды, — замечает Р. Медведев. — Кроме ордена

Красного Знамени, в оставшиеся годы войны Брежнев получил еще один орден Красного Знамени, орден Красной Звезды, орден Богдана Хмельницкого и орден Отечественной войны. Это, конечно, немало, но другие молодые генералы имели больше наград, что больно задевало самолюбие Леонида Ильича».

Брежнев прошел всю войну без единого ранения.

«Конечно, когда идет война, все ее участники, хотя и в разной степени, подвергают свою жизнь опасности, — читаем у Р. Медведева. — В опасные переделки попадал иногда и Л. И. Брежнев. Однажды рядом с ним был убит стрелок. В декабре 1943 г. во время контратаки противника группа немецких войск прорвалась к Киевскому шоссе, и в отражении этой атаки пришлось принять участие работникам политотдела. Гораздо позднее описывалось это от имени Брежнева так: «Не теряя драгоценных секунд, я бросился к пулемету. Весь мир для меня сузился тогда до узкой полоски земли, по которой бежали фашисты. Не помню, как долго все длилось. Тогда одна мысль владела всем существом: остановить!»

Свидетелей этого подвига так и не нашлось, тем не менее на предполагаемом месте этого короткого боя через 35 лет было решено водрузить огромный монумент. Его возвели на окраине села Ставище Коростышевского района Житомирской области. На монументе надпись: «Здесь в ночь с 11 на 12 ноября 1943 года начальник политотдела 18-й армии Л. И. Брежнев вел пулеметный огонь, отражая атаку противника». При открытии монумента в никому ранее не известное село прибыли генералы и ответственные работники области и республики. Вокруг монумента выросла гора цветов. Потом все было заснято на огромные цветные фотографии, позднее их преподнесли самому Брежневу».

Не самым лучшим образом вспоминал Брежнева и полковник П. Григоренко, будущий диссидент, бывший во время войны начальником штаба одной из дивизий 18-й армии: «Все, кто поближе его знал, воспринимали его как недалекого простачка. За глаза его называли — Леня, Ленечка, наш политводитель. Думаю, что подобное отношение сохранилось к нему и в послевоенной жизни... Был единственный случай, когда Брежнев при мне был близко к переднему краю (3 км). Говорю это не в осуждение Брежнева. В конце концов, в армии, как и вообще в жизни, каждый имеет свои обязанности. От Брежнева по его должности не требовалось бывать не только на переднем крае, но и на командном пункте армии... Место начальника политотдела во втором эшелоне армии, там, где перевозятся партдокументы. Выезжать же в войска для встречи с коммунистами и вообще с личным составом следовало лишь тогда, когда люди не ведут боя. В бою начполитотдела может только мешать».

Вот так, обманывая самих себя, мы прославляли бездарность. Но страшнее здесь было то, что тем самым мы учили обманывать

128

наших детей. Мы делали это вчера и поза-вчера, чтобы сегодня увидеть результаты по-добной неискренности на своих детях. И, будьте уверены, завтра увидим на внуках. Если не приложим усилий и не исправим не-нормальное положение. Потому что законы природы суровы, и они таковы, что любой наш поступок, словно эхо, отзывается, уси-ленный во сто крат.

Всю войну, до полного освобождения Укра-ины, Галина Брежнева прожила с матерью и братом в эвакуации.

Второй столицей во время войны должен был стать город Куйбышев. Однако в послед-ний момент Сталин не решился на переезд из Москвы. Зато большинство предприятий и учреждений расположились именно в этом городе.

«В Куйбышеве в это время находились мно-гие московские наркоматы, учреждения, ре-дакции московских газет, — пишет В. Гроссман в романе «Жизнь и судьба». — Это была вре-менная, эвакуированная из Москвы столица, с дипломатическим корпусом, с балетом Боль-шого театра, со знаменитыми писателями, с московскими конферансье, с иностранными журналистами.

Все эти тысячи московских людей ютились в комнатушках, в номерах гостиниц, в обще-житиях и занимались обычными для себя де-лами — заведующие отделами, начальники управлений и главных управлений, наркомы руководили подведомственными им людьми и народным хозяйством, чрезвычайные и полномочные послы ездили на роскошных машинах на приемы к руководителям советской внешней политики; Уланова, Лемешев, Михайлов радовали зрителей балета и оперы; господин Шапиро представитель агентства «Юнайтед Пресс», задавал на пресс-конференциях каверзные вопросы начальнику Совинформбюро Соломону Абрамовичу Лозовскому; писатели писали заметки для отечественных и зарубежных газет и радио; журналисты писали на военные темы по материалам, собранным в госпиталях.

Но быт московских людей стал здесь совершенно иным, — леди Крипс, жена чрезвычайного и полномочного посла Великобритании, уходя после ужина, который она получала по талону в гостиничном ресторане, заворачивала недоеденный хлеб и кусочки сахара в газетную бумагу, уносила с собой в номер; представители мировых газетных агентств ходили на базар, толкаясь среди раненых, длинно обсуждали качество самосада, крутя подобные самокрутки, либо стояли, переминаясь с ноги на ногу, в очереди к бане; писатели, знаменитые хлебосольством, обсуждали мировые вопросы, судьбы литературы за рюмкой самогона, закусывали пайковым хлебом.

Огромные учреждения втискивались в тесные куйбышевские этажи; руководители главных советских газет принимали посетителей за столами, на которых в послеслужебное время дети готовили уроки, а женщины занимались шитьем.

В этой смеси государственной громады

с эвакуационной богемой было нечто привлекательное».

Примерно так же жила в эвакуации и семья Брежнева. Следует учесть, что к тому времени Брежнев еще не был тем, кем он стал благодаря Никите Хрущеву. Не говоря уже о том, что в то время пост Генерального секретаря ЦК КПСС мог быть для него лишь несбыточной мечтой. Его семья имела льготы, как семья партработника, который находился на фронте, но она не была привилегированной. Советская государственная система была устроена так, что никто не мог получить блага и льготы сверх предусмотренных социально-классовой принадлежностью.

— Во время войны я стояла за куском хлеба, — сказала в одном интервью сама Галина Брежнева. — Я была вот такой девочкой — и стояла. А мой отец воевал с гитлеризмом.

В эвакуации Галина и младший брат Юрий продолжали учебу. Галина из девочки уже начинала превращаться в девушку.

«Современные дети совсем не походили на ее воспитанников, — читаем у В. Гроссмана характеристику подростков поколения, к которому принадлежала Галина Брежнева. — Все изменилось, даже игры — девочки «мирного» времени играли в серсо, лакированными палочками со шнурком бросали резиновое диаболо, играли вялым раскрашенным мячом, который носили в белой сеточке — авоське. А нынешние играли в волейбол, плавали саженками, а зимой в лыжных штанах играли в хоккей, кричали и свистели.

Они знали больше историй об алиментах, абортах, мошеннически приобретенных и прикрепленных рабочих карточках, о старших лейтенантах и подполковниках, привозивших с фронта жиры и консервы чужим женам».

В подобной обстановке формировалась личность и Галины Брежневой. Ей никто и никогда не объяснял и не пытался объяснить такие понятия, как «можно», «нельзя» или «дисциплина». Она нуждалась в том, чтобы ее пожалели в момент обиды или поддержали в минуты разочарования или негодования. Однако ни жалости, ни подбадривания, ни разъяснений Галина не получала. Главными уроками и главной школой для нее стали восприятия и впечатления раннего детства и переходного возраста. Когда с ней обращались несправедливо, она затаивала обиду и злобу, которые спустя много лет проявились в ее сумасбродном характере во всей красе.

Нужно сказать, что в ней довольно рано обнаружилось стремление к благополучию и склонность к различным приключениям и авантюрам. Внешне Галина Брежнева была очень похожа на отца. Ее фотографии последних лет, на которых она запечатлена с обрюзгшим от постоянного пьянства лицом, никак не соотносятся с той обаятельной и в определенной степени привлекательной девочкой, какой Галина Брежнева была в детские и юношеские годы. В более зрелые годы у нее развился трезвый, холодный ум и твердый, закаленный характер. Она стала неуправляемой натурой, действующей по своему усмотрению и не терпящей над собой никакого диктата.

После окончания войны, несмотря на сокращение и демобилизацию партработников, Брежнева оставляют в армии еще на год. Проводится реорганизация 4-го Украинского фронта, и на его основе образуется Прикарпатский военный округ. Генерал-майор Л. Брежнев назначается начальником политуправления военного округа.

Численность армии продолжала сокращаться, но дальнейшая судьба крупных политработников, к которым к тому времени относился и Л. Брежнев, решалась совместно Политическим управлением Советской Армии и ЦК ВКП(б).

Только в августе 1946 г. Брежнев был демобилизован и направлен в распоряжение ЦК КП(б) Украины.

«ALMA MATER»

Есть только одно благо — знание и только одно зло — невежество.

Сократ

Знание смиряет великого, удивляет обыкновенного и раздувает маленького человека.

Л. Толстой

Надо, чтобы все дело воспитания, образования и учения современной молодежи было воспитанием в ней коммунистической морали.

В. Ленин

В 1946 г. Галина Брежнева окончила школу. Встал вопрос о выборе будущей профессии. Что касается Юрия, которому тогда исполнилось лишь тринадцать лет, то здесь у Л. Брежнева не было никаких сомнений: сын должен был пойти по его стопам, поступив в Днепропетровский металлургический институт. Благо занимаемый пост и перспектива непременного роста в партийной иерархии позволяли не беспокоиться за поступление Юрия даже при посредственных успехах в учебе.

С дочерью было посложнее. Ни мать, ни отец не являлись для нее авторитетами. Уже тогда она не выказывала особого интереса к должности отца, хотя и не отказывалась от благ и привилегий, которые та сулила. Кроме внешнего сходства, Галина переняла от отца как положительные — активность, жизнерадостность, открытость, любовь пофилософствовать, так и отрицательные качества — поверхностность, нетерпеливость, упрямство, эгоистичность, бестактность, честолюбие, страсть командовать и распоряжаться. Несмотря на это, отец не находил с ней общего языка. Он не понимал и не мог понять ее поведения. Более того, внутренне он невольно дистанцировался от дочери, высокомерие, честолюбие и агрессивность которой поставили и отца, и мать в подчиненное положение.

Родители не сразу заметили, что Галина превратилась в семейного деспота. После семейных разборок и выяснения отношений с родителями у нее уже тогда нередко наступала психическая опустошенность. Галина впадала в, казалось, беспричинную депрессию, у нее начинали проявляться всякие причуды и болезненный бранный юмор. Отсутствие родительского внимания и должного воспитания со стороны учителей привели к тому, что она превратилась в заносчивую, помпезную личность. Она наказывала родителей за свои неосуществленные амбиции.

Уволенный из армии, Л. Брежнев был направлен в распоряжение ЦК КП(б) Украины. Многие стремились попасть на руководящие посты в государственно-бюрократическом аппарате и партии ради привилегий, но, когда начинаешь знакомиться с биографией Брежнева, складывается впечатление, что он не выказывал особого стремления к получению большой власти. Он, что называется, не «высовывался», чтобы не «засветиться». Его отношение к работе было таково, что требовало определенного каждодневного режима с точными указаниями сверху и отмеренным объемом дел. Что бы сейчас ни говорили о нем, но ко всякого рода поручениям Брежнев относился честно и добросовестно. Для него это являлось совокупностью долга, обязанности и ответственности. Постепенно работа становилась для него чем-то вроде пристрастия, без которого терялся смысл жизни.

С молодых лет Л. Брежнев предпочитал находиться и работать в коллективе. Здесь он чувствовал себя в своей стихии. Точно выразилась по этому поводу и его дочь, Галина Брежнева, когда в одном из интервью сказала, что «отец управлял страной коллегиально».

Те, кто знал Л. Брежнева по довоенной и послевоенной работе, непременно восхищались его преданностью своему делу, решимостью, самоотверженностью, безотказностью и непоколебимостью.

Несмотря на эти, без всякого сомнения, положительные качества, характеру Л. Брежнева свойственны и многие недостатки. Он нередко проявлял чрезмерную осторожность и предусмотрительность, слишком трезвое отношение к коллегам и сослуживцам, которых часто использовал для достижения собственных целей.

Л. Брежнев страдал также приступами депрессии и страха. По воспоминаниям очевидцев, так случилось с ним в те дни, когда «молодые волки» снимали с поста руководителя страны Н. Хрущева. Приступы страха, депрессии были у него настолько сильными, что довели до язвы желудка. Они же мешали Л. Брежневу реально представлять будущую перспективу. И если сказать, что эпоха застоя во многом явилась порождением его характера, мы окажемся недалеко от истины. Именно поэтому синонимом эпохи застоя является понятие «брежневщина».

Семья вернулась из эвакуации на Украину только после войны. Родной Днепропетровск было не узнать: город лежал в руинах, кругом царила разруха. Так было не только в Днепропетровске, но и во всей Украине, по всей территории, которая находилась под оккупацией и где прошли ожесточенные бои.

Но не следует думать, что семья партийного работника ютилась в жалкой времянке или тесной лачуге, испытывала материальную нужду и постоянные затруднения.

В августе 1946 г. Л. Брежнев возглавил Запорожский обком партии. Область была освобождена за три года до его назначения, поэтому самый трудный период в восстановлении уже был позади. Однако через несколько месяцев, когда Днепровская ГЭС дала первый ток, поздравления и приветствия по поводу ее восстановления принимал 1-й секретарь Л. Брежнев. Еще через несколько месяцев была пущена первая очередь «Запорожстали», за что

Л. Брежнев указом Президиума Верховного Совета СССР был награжден орденом Ленина.

Проработав в Запорожье чуть больше года, в ноябре 1947 г. распоряжением ЦК КП(б)У Брежнев был направлен на работу 1-м секретарем Днепропетровского обкома партии. Л. Брежнев вернулся в город своей молодости, где началась его партийная карьера в качестве секретаря обкома по пропаганде и где он познакомился с большинством из тех, кто войдет в его окружение в будущем.

В самом начале 1949 г. на очередном съезде компартии Украины его избирают членом ЦК КП(б)У.

«Как и в Запорожье, в Днепропетровске Брежнев показал себя не столько способным, сколько спокойным руководителем, — пишет о нем Р. Медведев. — Он не выступал ни с громкими речами, ни с громкими инициативами, не особенно часто вмешивался в работу подчиненных, не слишком придирчиво контролировал их. Он редко наказывал, а тем более смещал с постов работников аппарата. Он уже тогда был сторонником «стабильности» кадров, и нет ничего удивительного в том, что вокруг него стал собираться своеобразный клан — Грушевой, Кириленко, Алферов и некоторые другие. Именно мягкость, отсутствие обычной для партийных боссов того времени жесткости и даже жестокости, определенная доброта, пусть и за счет дела, привлекали к нему многих. Находиться у власти в конце 30-х годов, как и в конце 40-х, то есть в годы самой жестокой террористической диктатуры Сталина, было делом весьма рискованным. В этих условиях Днепропетровский, а ранее Запорожский обкомы могли казаться партийным и хозяйственным работникам областного масштаба островками либерализма и относительного спокойствия».

В том же 1946 г. Галина Брежнева стала студенткой первого курса литературного факультета Днепропетровского педагогического института, а позднее, в 1951 г., перевелась на философский факультет Кишиневского университета.

Учеба, к которой она очень быстро потеряла интерес, была для Галины Брежневой щитом от обвинений в тунеядстве. С первого курса девушка, и раньше не терпевшая над собой никакого постороннего диктата, посещала занятия лишь тогда, когда сама желала.

В том, что она была благородного происхождения, лично у нее не было никаких сомнений. Не было таких сомнений и у тех из ее однокурсников, которые сразу же окружили Галину. Зная, какой пост занимает ее отец, они без колебаний пошли в «услужение» к ней, заискивая и потакая ее капризам и прихотям, натянуто улыбаясь плоскому, порой грубому и пошлому юмору.

Галине нравилось подобное почитание со стороны приятелей, хотя она и понимала, что те «пресмыкаются» перед ней не из-за ее внешней привлекательности или широкой образованности. Галина доверяла лишь своим впечатлениям и ощущениям, больше руководствовалась чувством симпатии и антипатии, чем очевидными фактами, советами родителей или приятелей и даже собственным опытом.

Благодаря дерзкому и своенравному характеру, который проявился у нее еще в школьном возрасте, Галина Брежнева научилась добиваться всего, что задумывала. Она могла «перевернуть горы», чтобы достичь желанного результата или намеченной цели.

Социальное положение отца позволяло ей не испытывать материальных затруднений. Однако Галина Брежнева вряд ли дала бы кому-то взаймы. В силу того же врожденного характера она могла прийти человеку на помощь только в том случае, если испытывала к нему искреннюю симпатию.

Не испытывая материальных затруднений благодаря семье, Галина к тому же всегда могла сама найти средства, если ей это было нужно. И вообще, в плане денег ей всегда везло.

При всем при этом она относилась к тому типу женщин, которые чаще всего по долгам платят собой, а не звонкой монетой. Зная себе цену и рано научившись на этом спекулировать, Галина Брежнева была довольно разборчива в отношении мужчин. От природы она была наделена обаянием и могла вскружить даже самую трезвую голову. Проявляя при любых обстоятельствах завидную рассудительность, сама она могла внешне оставаться вполне спокойной. С такой женщиной, как Галина Брежнева, мужчина должен был бы ощущать на себе бесстрастный взгляд даже во время интимной близости. Практичная, привыкшая оценивать каждого мужчину как потенциального мужа, она не раз испытывала разочарование по поводу романтической мечты найти мужчину, который воздвиг бы ее на пьедестал.

Политическая карьера отца тем временем успешно развивалась. В конце 1949 г. Н. Хрущева избрали секретарем ЦК ВКП(б) и секретарем Московского горкома партии. Из всего состава Политбюро он входил в круг наиболее близких к Сталину партийных деятелей. Об этом говорит тот факт, что в декабре, когда в Советском Союзе широко отмечалось семидесятилетие диктатора, на торжественном заседании Н. Хрущев сидел по левую руку от него.

Перебравшись в Москву, бывший руководитель Украины не забывал о бывших соратниках. По заведенной традиции каждый из членов Политбюро становился куратором той области промышленности или того региона, откуда перешел на работу в Москву. В те времена Н. Хрущев еще с полным основанием мог отнести к своим надежным союзникам поколение политиков, к которому принадлежал Л. Брежнев.

Именно благодаря Н. Хрущеву робкий и нерешительный Брежнев получил назначение на пост 1-го секретаря ЦК Компартии Молдавии.

В 1949 г. в этой республике возникли экономические трудности, которые вызвали у Сталина большое неудовлетворение и резкую критику в адрес молдавских руководителей. Республика никогда не имела предприятий промышленности и высокоразвитого сельского хозяйства. Это имело свои исторические корни: в XVI в. Молдавия попала под власть Османской империи. В конце XVIII в. левобережье

Днестра, а с 1812 г. земли между реками Прут и Днестр (Бессарабия) были отвоёваны у Турции и вошли в состав России. В 1918 г. Бессарабия была присоединена к Румынии, а в левобережных районах Днестра в 1924 г. была образована Молдавская АССР в составе Украинской ССР. Только в 1940 г., после включения в состав СССР Бессарабии, на части территории Молдавской АССР и большей части Бессарабии была образована Молдавская ССР.

Жители занимались традиционным способом хозяйствования: животноводством, виноградарством и садоводством, домашними ремеслами — ткацким, гончарным, ковроделием, обработкой кожи, дерева и камня. В некоторых районах республики были распространены рыбный и охотничий промыслы.

В совокупности всё это давало тот результат, что по многим показателям республика занимала одно из последних мест в Советском Союзе. И 1948, и 1949 годы выдались в Молдавии на редкость засушливыми. Кроме того, следует помнить и о том, что в 1948—1949 гг. одновременно с ускоренной коллективизацией в Молдавии проводилась жестокая кампания раскулачивания. В Сибирь и на Дальний Восток выселялись неблагонадёжные элементы в лице местных «бывших» и представителей национально сознательной интеллигенции.

Но Сталин ничего не хотел знать ни о погодных проблемах, ни о социально-классовых. Действуя излюбленным способом и памятуя о том, что «кадры решают всё», Сталин решил поменять партийное руководство Молдавии. Поскольку Молдавская АССР входила в состав Украины, с вопросом о кандидатуре на пост 1-го секретаря ЦК КП(б) Молдавии он обратился к Н. Хрущеву. Тот назвал Л. И. Брежнева.

Как представитель ЦК ВКП(б), которому было поручено ознакомиться с состоянием дел в экономике республики, Л. Брежнев прибыл в Молдавию весной 1950 г. Весной и в начале лета он объехал многие районы республики, а в июле того же года состоялся пленум ЦК КП(б) Молдавии, на котором вместо Н. Коваля по рекомендации Москвы первым секретарем избирается Л. Брежнев.

«Товарищ Брежнев в партии свыше двух десятков лет, молодой сравнительно товарищ, сейчас в полной силе, он землеустроитель и металлург, хорошо знает промышленность и сельское хозяйство, что доказал на протяжении ряда лет своей работой в качестве первого секретаря обкома, — говорилось в представлении ЦК ВКП(б). — Человек опытный, энергичный, моторный, прошел всю войну, у него есть звание генерала, и руку он имеет твердую».

Вряд ли Брежнев имел твердую руку. Это было не в его характере. Упоминание об этом в рекомендации ЦК ВКП(б) является лишь обязательным элементом, который не мог не присутствовать в официальных характеристиках, представлениях и биографиях того времени.

В пользу подобной версии говорит и тот факт, что Брежнев принял руководство Молдавской республиканской партийной организацией, не проводя кардинальных перемен, а тем более чисток. Даже бывший 1-й секретарь

Н. Коваль остался работать на ответственном посту — председателем Госплана Молдавии.

Из старых друзей Л. Брежнев пригласил очень немногих, и в первую очередь Н. Щелокова, который после войны работал заместителем министра местной промышленности Украины, а также в аппарате ЦК КП(б)У. В Молдавии Н. Щелоков становится первым заместителем председателя Совета Министров, потом председателем Республиканского совнархоза, а позже — вторым секретарем ЦК КП Молдавии. С этой должности он и будет переведен в Москву на пост министра по охране общественного порядка в 1966 г.

Остальные сотрудники и приятели Брежнева остались работать на Украине. В Днепропетровске по его рекомендации 1-м секретарем обкома партии был назначен тоже один из будущих соратников — А. Кириленко.

Не порывая связей с Украиной, Л. Брежнев приобрел в Молдавии немало новых знакомых и друзей.

«В первую очередь мы должны назвать К. У. Черненко, — пишет историк Р. Медведев. — Когда Брежнев возглавил ЦК компартии Молдавии, Черненко уже два года занимал здесь пост заведующего отделом агитации и пропаганды. Один тот факт, что Брежнев имел чин генерал-майора и провел в действующей армии всю войну, должен был произвести на Черненко большое впечатление. Конечно, и тридцатидевятилетний Черненко имел военный билет. Но в нем могло быть записано только одно: «лейтенант запаса, состав политический». На войне этот здоровый и сильный сибиряк (он родился в 1911 году) не пробыл ни одного дня. Как это получилось? Черненко вырос в бедняцкой семье, рано вступил в комсомол, учился в сельской школе и уже в восемнадцатилетнем возрасте стал заведующим отделом агитации и пропаганды в одном из райкомов комсомола Красноярского края. В 1930 году «пошел добровольцем в Красную Армию». Но в 1930 году страна не вела никаких войн, если не считать начинающейся в деревне войны с кулачеством. По сравнению с сельским райкомом комсомола военная казарма в середине 1930 года была гораздо более спокойным местом. Тем более что Черненко довелось провести самые трудные для деревни 1930—1932 годы в относительно привилегированных и хорошо обеспеченных пограничных войсках.

Черненко служил на южной границе, и несколько раз ему приходилось слышать свист пуль над головой, да и отвечать на огонь. Здесь, среди пограничников, он был принят в 1931 году в ряды Коммунистической партии. После окончания службы в армии Черненко стал работать в аппарате партийных органов Красноярского края заведующим отделом пропаганды и агитации Новоселковского и Уярского райкомов партии, директором Красноярского партийного дома просвещения, заместителем заведующего отделом пропаганды и агитации, одним из секретарей Красноярского крайкома партии.

В 1941—1942 годах большая часть кадровых работников Красноярского крайкома партии ушла на фронт. Но среди них не было Черненко, на сей раз он как-то не спешил «записаться добровольцем». Конечно, и в тылу у партийных работников было немало трудных обязанностей. Но за плечами Черненко был все же трехлетний опыт кадрового военного и даже некоторый боевой опыт. И если бы он настаивал, то был бы, конечно, направлен в политические органы действующей армии. Вместо этого он оказался в Высшей школе партийных организаторов при ЦК ВКП(б). Туда направляли партийных работников, не пригодных к строевой службе, и политработников с фронта, получивших тяжелые ранения и освобожденных от военной службы. В этой школе в 1943—1945 годах, то есть в самый разгар войны, и учился Черненко.

С середины 1945 года он стал работать в Пензенской области секретарем обкома партии по агитации и пропаганде, а в 1948 году был переведен в Молдавию в качестве заведующего отделом агитации и пропаганды ЦК КП(б) республики. Здесь Черненко смог наконец получить высшее образование, заочно окончив Кишиневский педагогический институт. Можно предположить, что для ответственного партийного работника заочно учиться в педагогическом институте, который подчинялся ему по партийной линии, не составляло большого труда. Гораздо большее значение для карьеры имела встреча с новым первым секретарем ЦК компартии Молдавии Л. И. Брежневым. В лице Черненко Брежнев нашел себе не слишком образованного, но достаточно умелого и верного помощника. Черненко же нашел в лице Брежнева отзывчивого и даже доброго шефа».

Я не ошибусь, если скажу, что именно в Молдавии начинает складываться партийный клан, который через полтора десятилетия почти в полном составе переберется в Кремль и будет управлять Советским Союзом без малого двадцать лет. В Молдавии Л. Брежнев встретил С. Трапезникова.

Выходец из бедной рабочей семьи, С. Трапезников родился в Астрахани и был на шесть лет моложе Брежнева. Окончив экстерном Московский педагогический институт им. В. И. Ленина, Высшую партийную школу и Академию общественных наук при ЦК ВКП(б), к моменту назначения Брежнева 1-м секретарем ЦК компартии Молдавии он возглавлял Высшую партийную школу республики. Пять лет упорной партийной учебы не могли дать С. Трапезникову больших знаний и образования, зато они сделали его самоуверенным догматиком. Брежнев приобрел в его лице консультанта по общественным наукам.

В 1965 г. С. Трапезников стал заведующим отделом ЦК КПСС по науке и учебным заведениям, а с 1966 г. — членом ЦК КПСС, где столкнулся с Сусловым и приобрел в его лице если не врага, то противника. Он также возглавил кампанию по реабилитации Сталина, которая в это время набирала обороты. Суслов не считал такую реабилитацию целесообразной в середине 60-х гг., потому и не стал поддерживать Трапезникова и его сторонников, а даже, наоборот, старался сдержать их порыв.

В Молдавии с 1951 г. рядом с Л. Брежневым работал заместителем министра МГБ республики еще один из будущих членов его клана — Семен Цвигун. В прошлом школьный учитель, С. Цвигун по комсомольской путевке был направлен на работу в органы НКВД. Возникает резонное предположение, что Брежнев знал Цвигуна и встречался с ним раньше, поскольку они были свояками: женой Цвигуна была двоюродная сестра Виктории Петровны, жены Брежнева.

Служебная карьера Л. Брежнева в Молдавии складывалась самым благоприятным образом. Его окружали надежные и преданные соратники, на которых он мог положиться и которым вполне мог довериться в самую трудную минуту. Неприятности ему доставляла только дочь Галина, которая из Днепропетровского педагогического института перевелась на учебу в Кишиневский университет. Историк Р. Медведев в статье о Галине Брежневой указывает, что она была переведена на философский (у Р. М. — филологический ошибочно) факультет, и замечает, что «науки мало интересовали Галину». Одна из ее сокурсниц вспоминает, что сам Первый секретарь ЦК КП Молдавии Л. Брежнев заходил в университет и просил студенток как-то повлиять на его дочь и хотя бы убедить ее вступить в комсомол. «Я возглавляю партийную организацию всей республики, а моя дочь не желает даже стать комсомолкой», — откровенно сокрушался Брежнев.

Я уже говорила о том, что Брежнев родился под счастливой звездой. В его жизнь и политическую карьеру не раз вмешивались счастливый случай или везение. Но на этот раз ему просто крупно повезло. Ведь никакие личные качества характера и способности руководителя не могли привести к улучшению социально-политической обстановки в Молдавии. А тут на тебе: после двух засушливых лет прошли обильные дожди. В 1950 и 1951 гг. в республике были собраны рекордные по тем временам урожаи. В области социальной политики тоже все шло гладко: репрессии против крестьянства закончились еще до назначения Л. Брежнева.

«Зерно, а также овощи и фрукты надо было перерабатывать, — читаем у Р. Медведева. — Одной из главных забот нового руководителя республики стало развитие пищевой индустрии. В Молдавии возникали и первые предприятия по таким отраслям, как машиностроение, электротехника, приборостроение и др. В ЦК ВКП(б) были довольны положением дел в республике, и Брежневу предложили выступить в центральной печати. В сентябре 1952 года в главном теоретическом журнале партии «Большевик» была опубликована статья Л. Брежнева «Критика и самокритика — испытанный способ воспитания кадров». Разумеется, и Черненко, и Трапезников участвовали в подготовке этого выступления».

С 1950 г. Л. Брежнев стал часто бывать в Москве. Весной 1950 г. его, тогда еще первого секретаря Днепропетровского обкома партии, избрали депутатом Верховного Совета СССР, а в июне того же года он впервые участвовал в работе первой сессии Верховного Совета нового созыва. И хотя сессии проводились редко и имели в значительной степени ритуальный характер, но участие в их работе давало Л. Брежневу уникальную возможность для знакомства в официальной и неофициальной обстановке с партийными и советскими руководителями со всех регионов СССР.

С 5 по 14 октября 1952 г. в Москве проводился XIX съезд партии. С момента проведения предыдущего съезда, констатировавшего победу социализма в СССР и принявшего решение о «постепенном переходе от социализма к коммунизму», прошло тринадцать лет. Приняв Директивы по пятилетнему плану развития народного хозяйства на 1951—1955 гг., XIX съезд переименовал ВКП(б) в КПСС.

В работе съезда принимал участие и первый секретарь ЦК компартии Молдавии Л. И. Брежнев. На нем он выступил с докладом, в котором перечислил республиканские свершения и достижения послевоенного времени.

На одном из приемов в Кремле, организованном во время работы съезда, Сталин обратил внимание на хорошо сложенного, высокого, с приятной открытой улыбкой Брежнева. Узнав, что это новый партийный руководитель Молдавии, Сталин заметил: «Какой красивый молдаванин». (Много позже в одном из своих интервью Галина Брежнева так комментировала этот эпизод: «...товарищ Сталин, когда он засветился в Молдавии (имеется в виду отец. — *В. К.*), спросил: «Кто вот этот красивый молдаванин?» И: «В Москву его».)

«Не было ничего удивительного в том, что Брежнев вошел в состав нового ЦК КПСС, туда вошли руководители всех союзных республик, — пишет Р. Медведев. — Странные события стали происходить во время первого организационного Пленума. После избрания Сталина Первым секретарем ЦК КПСС он извлек из кармана бумажку и зачитал неизвестно кем и как подготовленный, значительно расширявший состав высших органов партии, список имен тех членов ЦК, которых он предлагал избрать в Президиум ЦК (по новому Уставу партии вместо «Политбюро» вводилось наименование «Президиум») и в Секретариат ЦК КПСС. Для Брежнева было полной неожиданностью, что его имя оказалось и в списке секретарей ЦК КПСС, и в списке кандидатов в члены Президиума ЦК КПСС. Западные биографы Брежнева считают, что своим взлетом Брежнев был обязан Хрущеву, но сам Хрущев в своих воспоминаниях решительно отрицает это, утверждая, что расширенные сталинские списки были и для него самого полной неожиданностью. Возможно, Сталин стремился таким образом как бы растворить узкий состав прежних «вождей» в относительно большой группе новых руководителей».

Брежнев оказался в двусмысленном положении: как кандидат в члены Президиума ЦК КПСС он мог исполнять свои прежние обязанности партийного руководителя Молдавии, а должность секретаря ЦК КПСС вынуждала его ежедневно являться на работу в ЦК.

Больших колебаний по поводу выбора — остаться в Москве или вернуться в Молдавию — Л. Брежнев не испытывал. Для него самого, как и для всех его хороших знакомых и приятелей, ответ был очевиден.

Л. Брежнев остался в Москве и стал ходить на работу в здание ЦК КПСС, где ему выделили персональный кабинет. Его также обеспечили московской квартирой и служебной дачей в Подмосковье, а спустя месяц после XIX съезда КПСС — 7 ноября 1952 г. — он впервые в своей жизни взошел на трибуну Мавзолея. (По невероятно странному стечению обстоятельств в последний раз он это сделает спустя ровно тридцать лет — 7 ноября 1982 г.)

До самой смерти Сталина заседания нового Президиума ЦК КПСС так ни разу и не состоялось. Он продолжал руководить страной единолично через Бюро Президиума ЦК и пятерку главных членов Президиума: себя самого, Маленкова, Берия, Булганина и Хрущева. Брежневу, как и остальным новым членам Президиума ЦК и секретарям ЦК, не были даже определены конкретные обязанности. Новый расширенный Секретариат тоже ни разу не собрался на заседание.

«Фактически Брежнев, занимая формально самые высокие посты в государстве, на какое-то время оказался не у дел или, как он сам позднее шутил, стал «безработным», — читаем у Р. Медведева. — Хотя он и был освобожден от поста первого секретаря ЦК КП Молдавии «в связи с переходом на новую работу», он продолжал оставаться членом бюро тамошнего ЦК. Но Брежнев не вернулся в Молдавию. Он приехал поздней осенью 1952 года в Днепропетровск. Там у него было множество знакомых и в Днепропетровском металлургическом институте учился его сын Юрий. (Он поступил в этот институт в 1950 году, когда отец только был назначен 1-м секретарем ЦК компартии Молдавии.) Поселился в доме работников обкома партии, но часто навещал сына и племянницу Риту, которые жили в заводском доме, встречался с друзьями сына, устраивая даже иногда небольшие вечера для окружавшей его сына молодежи. Сын Брежнева не отличался особыми способностями, учился неважно, и, когда на 4-м курсе он подал заявление о приеме в члены КПСС, комсомольская организация отказала ему в рекомендации «из-за слабой общественной активности». Но Юрия приняли в партию и без этой рекомендации. Впрочем, он так и не стал металлургом, а сразу после окончания института поступил в Москве в Академию внешней торговли. Но это было уже позже, когда после смерти Сталина положение его отца изменилось».

«МЕЩАНЕ ВО ДВОРЯНСТВЕ»

*Мещанство — демократизация аристо-
кратии и аристократизация демократии.*

А. Герцен

*Нравственное уродство мещанина есть
качество совсем не личное, а социальное...*

В. Ленин

*На пути к созданию культуры всегда ле-
жит болото личного благополучия.*

М. Горький

Чтобы понять, откуда в Галине Брежневой
взялась страсть к драгоценностям и богемному
образу той «сладкой» жизни, которую она вела,
мы должны поискать ее корни не в характере
этой женщины и даже не в том, что ее отец был
Генеральным секретарем ЦК КПСС.

Если присмотреться повнимательнее, мы
поймем, что Л. Брежнев возглавил самую огромную империю XX в. не волей судьбы или
по счастливому стечению обстоятельств. Его
приход к власти и *брежневщина* стали законо-
мерным явлением исторического развития
государства начиная с 1917 г.

Возьмем замечательное исследование Бе-
недикта Сарнова под названием «Смотрите,

кто пришел». Приведем отрывок из личных воспоминаний автора.

«У меня был сосед — Иван Иванович Рошин. Он был когда-то подручным маляра, потом маляром, потом матросом. Брал Зимний. Вступил в РКП. На Гражданской потерял ногу. Потом кончил не то ком-, не то промакадемию и стал ответственным работником. Он занимал важный пост в каком-то главке, и поэтому за ним каждое утро приезжала машина.

Иван Иванович любил поговорить на разные отвлеченные темы. Например, о том, как легко давались ему науки. Особенно философия. К философии он питал особую склонность. Он даже намекал иногда, чуть смущенно улыбаясь, что именно в занятиях философией, а не в Главсоли или Главхлебе лежало истинное его призвание. Но — ничего не поделаешь! Партия бросила его в Главсоль, а для коммуниста воля партии — закон.

Шел 1945 год, последний год войны, первый год мира. Вероятно, именно в этом году для всех уже стало ясно, что башмак окончательно стоптался по ноге. Именно тогда, я думаю, в голове Милована Джиласа впервые забрезжило название его будущей книги: «Новый класс». Во всяком случае, именно тогда возник тот полюбившийся москвичам анекдот про изможденных, заморенных, убого одетых х о з я е в ж и з н и, торопящихся куда-то по утрам, и размордевших, вальяжно развалившихся в персональных машинах, одетых в добротные габардиновые плащи и велюровые шляпы с л у г н а р о д а.

Это было время, когда с государства нашего, первого в мире государства рабочих и крестьян, слетели последние фиговые листки. Люди, стоявшие у власти, стали жадно хапать все что ни попадя — квартиры, дачи, машины, ковры, мебельные гарнитуры, каракулевые шубы, люстры, хрустальные вазы, сервизы, отрезы... Может быть, иным из них (или их женам) случалось это делать и раньше, но никогда еще они не делали это так открыто и нагло, в сознании своего с в я т о г о п р а в а на все эти простые и грубые ценности жизни.

И вот как-то раз я заговорил с моим соседом Иваном Ивановичем Рощиным на эту тему. С дурацкой горячностью своих семнадцати лет я говорил о том, что коммунисты стали п е р е р о ж д е н ц а м и. Куда девался, орал я ему, б л а г о р о д н ы й и д е а л и з м вашей юности?! Во что превратились бескорыстные коммунары, готовые идти на любые лишения для блага народного?! Как не стыдно этим нынешним хапугам носить высокое и славное звание коммуниста?!

Иван Иванович сперва слушал меня довольно благосклонно. Да я, признаться, на это и рассчитывал, ведь он как-никак был не из нынешних, а из тех, прежних.

Но при слове «идеализм» лицо его вдруг изменилось: выражение его стало жестким, отчужденным.

— А мы — материалисты! — веско оборвал он меня. — Мы никогда и не выдавали себя за идеалистов.

На меня словно опрокинули ушат холодной воды.

Боже мой! — подумал я. Он даже не понял, что я употребил слово «идеализм» не в философском, а совсем в ином смысле! Говоря об «идеализме» прежних коммунаров, я ведь имел в виду не философские их воззрения, а их бесконечную преданность идее, их бескорыстное донкихотство.

Надо ему объяснить, думал я. Сейчас я ему растолкую, что есть два разных значения этого слова, и он сразу поймет, какую он сморозил чушь...

Но Иван Иванович продолжал развивать свою мысль, и я понял, что объяснить ему ничего нельзя. Где-то там в пром- или комакадемии ему объяснили, что слово «материализм» происходит от слова «материя». А материя — это все, что нас окружает, все материальные предметы окружающего нас мира. У него как-то так выходило, что «материализм» происходит от слова «материя» не в отвлеченном, философском, а в самом простом, пошлом, м а н у ф а к т у р н о м смысле: материя — это ситец, сатин, шевиот или вот этот самый габардин, из которого им шьют эти одинаковые серые макинтоши. Говоря: «Мы — материалисты», он давал понять, что он никому не уступит своего честно завоеванного права на шевиотовый костюм, на этот вот габардиновый макинтош...»

В самом начале упоминалось о *комчванстве* — болезни, симптомы и название которой дал еще сам Ленин. Как мне представляется, в авторском отступлении Б. Сарнов довольно точно описал последствия этой болезни. В послевоенное время она, как эпидемия, действи-

157

тельно охватила и поразила определенные слои советского общества.

Самого вождя большевиков мало интересовали материальные блага. Стиль его жизни начисто был лишен роскоши и отличался воздержанием и скромностью даже после революции. Его элитарность больше всего выражалась в ревностном стремлении к власти. В сфере доходов Ленин начал с того, что решительно поддержал принципы эгалитаризма (снятие неравенства путем уравнительного распределения частной собственности) Парижской Коммуны (в работе «Государство и революция»). Первым постановлением ВЦИК максимальный предел зарплаты «ответственных работников» устанавливался в размере 400 рублей в месяц. Это не превышало размеров месячной зарплаты квалифицированного рабочего. 1 декабря 1917 г. Ленин набросал проект постановления Совнаркома «Об окладах высшим служащим и чиновникам». Предельное жалованье народным комиссарам этим постановлением устанавливалось в размере 500 рублей в месяц бездетным и прибавка в 100 рублей на каждого ребенка. Квартиры выделялись не свыше одной комнаты на каждого члена семьи. Тем же постановлением предусматривалось проведение «революционных мер к особому обложению высших служащих». Народному комиссару финансов и отдельным народным комиссарам вменялось строго следить за расходами и предписывалось урезать все непомерно высокие жалованья и пенсии.

Спустя несколько месяцев большевики приступили к сокращению различий в заработной плате рабочих разного уровня квалификаций. Например, шкала зарплаты железнодорожников и петроградских служащих устанавливала вилку — 282—510 рублей в месяц, т. е. соотношение 1:1,8 между верхней и нижней ставкой. Это было далеко от равноправия, но тем не менее разрыв в зарплате стал значительно меньше прежнего. Однако эти эгалитаристские инициативы сам же Ленин принес в жертву другим своим принципам — о «неизбежных» или «несправедливых различиях» в благосостоянии людей. В результате больше всего выиграли «спецы», политические функционеры и государственные служащие, командный состав Красной Армии и творческая интеллигенция.

Для наиболее ответственных партийных и государственных служащих большевистское руководство первоначально установило сравнительно низкую зарплату. Согласно декрету от 23 июня 1921 г., она ограничивалась 100—150 % средней зарплаты. Примечательно, что в этом документе устанавливались жесткие ограничения на получение зарплаты на стороне. Эти принципы были провозглашены на долгие времена, однако к середине 20-х гг. жалованье народных комиссаров и ответственных работников значительно выросло по сравнению со средней зарплатой.

Декрет от 31 мая 1925 г. определял зарплату ответственных работников 106 профессий в профсоюзах, советских, кооперативных, экономических и других организациях. Этим декретом работники партийного аппарата были поделены на семь категорий, зарплата которых соответствовала семи высшим разрядам по 17-разрядной профсоюзной шкале. Наивысшая ставка партийного работника составляла тогда 175 рублей, в то время как зарплата промышленного рабочего — примерно 50 рублей. Эти факты, как может убедиться читатель, несомненно, говорят о том, что провозглашенный революцией принцип равенства был окончательно похоронен самими же большевиками.

В последующие годы тенденция повышения зарплаты партработников сверх установленных законом рамок сохранялась. Тем, кто получал доходы свыше разрешенного «партмаксимума», рекомендовалось вносить излишки в партийную кассу. Но сами по себе эти ограничения денежных доходов партийных чиновников не шли ни в какое сравнение с доступными им материальными благами.

До 1923 г. вопрос о значении нормирования продуктов питания был непосредственно связан с тем, как оно отражалось на различных социальных группах. Впервые о необходимости планового распределения продовольствия было упомянуто в специальном декрете на третий день после захвата власти большевиками. Для этих целей был создан централизованный аппарат — Народный комиссариат продовольствия (Наркомпрод). Возникло множество контролируемых правительством кооперативов. Нормирование охватило большую часть потребительских товаров. Оно напрямую зависело от социального статуса гражданина и числа его иждивенцев. Уже к осени 1918 г. население городов Москвы и Петрограда было поделено на группы: работники физического труда, работники умственного труда, неработающие. Нормы снабжения продовольствием для них были установлены в пропорции — 4:2:1. При нехватке продовольствия, что случалось довольно часто, лица третьей, а порой и второй категории, часто вынуждены были голодать.

Военнослужащим и их семьям полагался так называемый военный паек. Его величина зависела от того, находился военнослужащий на фронте или в тылу. Поэтому служащие невоенных организаций стремились зарегистрироваться как военнослужащие: только в 1919 г. специальным распоряжением в эту категорию попали работники ЧК, милиции, рабочие некоторых особо важных предприятий, а также политические функционеры советских и комсомольских органов. Эта практика приобрела такой широкий размах, что в сентябре 1919 г. была учреждена специальная Комиссия по переводу на снабжение красноармейскими пайками. Ее функции в марте 1920 г. были переданы Наркомпроду.

Особый интерес представляет появление привилегированных пайков вне рамок общей системы. В декрете от 30 апреля 1920 г. говорилось о необходимости введений специальных норм для рабочих и служащих тех предприятий и учреждений, которые имели особо важное значение для государства. Для лиц, занятых наиболее высококвалифицированным умственным трудом, условия снабжения были детально определены как вознаграждение «ответственным работникам». Им предоставлялись права на получение товаров натурой и дополнительных пайков.

Примечательно, что в декабре 1920 г., в самый разгар голода, условия снабжения «специальных категорий» были включены в Декрет о бесплатном снабжении продовольствием. И хотя этот вид привилегий был упразднен вместе с отменой нормирования продовольствия в конце 1922 г., тем не менее был установлен прецедент, которому суждено было долгие годы определять советскую реальность. Давайте не будем также при этом забывать, что большинство людей в самую тяжелую пору тех трудных лет вынуждено было прибегать к услугам «черного рынка».

В первые послереволюционные годы понятие «общественное питание» совсем не воспринималось городским населением в том виде, каким оно было раньше. Разнообразные учреждения общественного питания — от дешевых пирожковых до роскошных ресторанов — были, по своей природе, социально дифференцированы, что составляет непременное условие эгалитарного режима.

Позволим себе процитировать незабвенные строки из «Золотого теленка»: «...частновладельческого сектора в городе не оказалось, и братья пообедали в летнем кооперативном саду, где особые плакаты извещали граждан о последнем арбатовском нововведении в области народного питания: ПИВО ОТПУСКАЕТСЯ ТОЛЬКО ЧЛЕНАМ ПРОФСОЮЗА». Взятое из жизни, такое объявление висело в буфете Гаврилово-Посадского театра. И. Ильф и Е. Петров просто позаимствовали его из журнала «Бузотер».

Декрет, принятый на третий день после захвата власти большевиками, предоставил городским администрациям право взять в собственность любые магазины, рестораны, гостиницы и мельницы, установив контроль над снабжением их продуктами и товарами, а также персоналом и ценами. Разрешалось превращать рестораны и гостиницы в места общественного питания под управлением и контролем городских властей.

Однако очень скоро стало очевидно, что все эти государственные заведения, как и раньше, значительно отличаются друг от друга по доступности и качеству обслуживания. В кремлевской столовой, например, качество обслуживания было безупречным. Совнарком имел свою собственную столовую. Всеми делами в ней заправлял тогдашний руководящий работник Наркоминдела М. М. Литвинов. Доступ туда был ограничен узким кругом высокопоставленных советских деятелей, а потому питание было отличным и невероятно дешевым. (В народе ходили не лишенные оснований слухи о том, что совнаркомовская столовая со своими копеечными расценками существовала вплоть до середины 80-х гг.).

Имели советские и партийные работники привилегии и в получении жилья. Экспроприация после революции собственности класса эксплуататоров сопровождалась поспешной национализацией и муниципализацией жилых помещений. Многоквартирные жилые дома передавались в ведение местных советов. Лишь отдельные частные квартиры и мелкие помещения оставались в частной собственности.

К середине 20-х гг. половина жилого фонда городов стала общественной собственностью, пользование которой подлежало строгому регламентированию в соответствии с государственными установлениями и правилами. Еще в январе 1918 г. местные советы обзавелись своим собственным жилым фондом, получив широкие полномочия по его использованию. (Какие грандиозные перспективы для злоупотреблений при этом открылись, я полагаю, не стоит говорить.) Местные власти никогда не отказывались от своей доминирующей роли в решении жилищного вопроса.

В законодательстве того времени отразились два аспекта жилищной проблемы: излишки жилой площади, превышающие установленные Наркомздравом нормы (она составляла 6 кв. м на человека), и дифференцированная квартплата. С 1920 г. местные советы занимались перераспределением жилого фонда с предоставлением дополнительной жилплощади «отдельным лицам и категориям трудящихся». Дополнительная комната под рабочий кабинет полагалась инженерам и научным работникам.

Однако категория квартиросъемщиков, которым предоставлялась такая привилегия, постоянно расширялась. К концу 1924 г. был составлен и опубликован подробный список тех, кто имел право получать дополнительную комнату, а в случае отсутствия таковой — до

16 кв. м сверх нормативов РСФСР. Было также определено пять категорий лиц, имевших право на привилегию.

В первую категорию вошли работники «государственных или приравненных к ним учреждений и предприятий, профсоюзов, кооперативных и партийных организаций», занятые служебной работой на дому.

Вторую категорию составили ответственные работники армии и военно-морского флота из числа высшего командования, высшего управленческого звена и политического руководства, принадлежащие к первым четырем рангам (всех было 19), учрежденным в Красной Армии и на флоте. Сюда же были включены командиры и комиссары некоторых воинских подразделений.

В третью, четвертую и пятую категории вошли научные работники (им это право было предоставлено в 1924 г.), врачи и дантисты с частной практикой, а также члены Общества бывших политкаторжан и ссыльнопоселенцев.

В октябре 1922 г. был принят Декрет об излишках жилой площади. Рабочие, которые иной раз проживали на площади в два раза больше нормы, а также те, кто имел излишки на законном основании, вносили за них обычную плату. Дополнительное сверхнормативное превышение площади облагалось в десятикратном размере для рабочих и в стократном — для всех прочих.

К середине 1923 г. квартплата стала больше отвечать получаемым доходам. Однако лица с более высокой зарплатой остались в выигрыше, потому что потолок квартплаты составлял 1 рубль 20 копеек за квадратный метр для всех, кто зарабатывал свыше 100 рублей в месяц. Сохранялась дискриминация в отношении лиц свободных профессий или живущих на «нетрудовые» доходы: первые платили за жилье от 2 до 5 рублей (в Москве была установлена особая плата — 10 рублей), вторые — по крайней мере 5 рублей за квадратный метр.

В середине 20-х гг. наметилась тенденция к понижению квартплаты для представителей творческой интеллигенции и получению дополнительной комнаты. Такие преимущества предоставлялись писателям, артистам, скульпторам и научным работникам.

Налицо явное избирательное распределение жилья. Несмотря на громкие заявления и декларации, большевики и не думали осуществлять обещанную рабочим сладкую жизнь в сказочной стране под названием *коммунизм*. Они если и строили нечто подобное, то лишь для избранных, т. е. для себя.

С этого первоначального неравноправия берет свое начало наша убогая жизнь в тоталитарном государстве, цинично провозглашенном отцами-основателями «первым в мире государством рабочих и крестьян». Оттуда берут начало последующие события в «дружной семье народов» — стране Советов, вплоть до ее распада. Там корни «сладкой жизни» Галины Брежневой.

Большевики изобрели привилегии, доступ к которым был ограничен, но не был закрыт. Ими мог воспользоваться любой, кто поизворотливее, понахальнее и бессовестнее прочих. Массовые репрессии и волна незаслуженных назначений открыли доступ наверх людям типа Л. Брежнева. Становясь жрецами сталинизма, они получали такие привилегии и такую власть, которую никогда не получили бы при ином государственном строе. Кухаркины дети становились власть имущими. Вот почему они были кровно заинтересованы в обожествлении вождя.

Привилегированное положение занимали не только новые выдвиженцы, но и их ближайшие родственники. Это касается, в частности, и возможностей выехать за рубеж.

Это право после революции было крайне ограничено, а затем превратилось в редкую политическую привилегию. В 1918 г. большевики создали пограничные войска, которые должны были бдительно охранять границы молодого социалистического государства до тех пор, пока мировая революция вовсе не упразднит границы.

Новое, большевистское правительство ужесточило пограничные порядки, которые существовали в России до революции. С апреля 1919 г. Наркомат иностранных дел выдавал заграничные паспорта только тем лицам, отъезд которых не вызывал возражений со стороны народных комиссаров военных и внутренних дел.

Было создано немало препон для частных граждан, пожелавших съездить за рубеж. Прежде чем это сделать, следовало собрать неимоверное количество бумаг — заверение в необходимости поездки, гарантии преданности и лояльности гражданина Советской власти и т. п.

С 10 мая 1922 г. были установлены еще более строгие правила выезда за рубеж. Поездки за границу могли осуществляться теперь лишь с особого разрешения Наркомата иностранных дел. От гражданина, который обращался в Наркомат за разрешением о выезде, требовали справку из ГПУ, в которой должно было указываться, что у данного ведомства претензии к имяреку отсутствуют. Чтобы получить такую справку, в ГПУ нужно было принести шесть других справок, включая поручительство двух честных граждан РСФСР, а также справку с работы, что возражений к отъезду нет.

Справок не требовалось только от работников ВЦИК, наркомов и их заместителей, членов коллегий наркоматов и руководящих работников губисполкомов. С 1927 г. зарубежные поездки официальных лиц распределялись среди работников правительственных учреждений по системе квот.

Так поступали те, сутью которых было полное равнодушие к добру и злу. Позвольте пофилософствовать вот на какую тему: можно ли относиться к какому-либо явлению с полной категоричностью? Цитированный мной выше В. Гроссман писал: «Категоричность — признак ограниченности». Но жизненная практика едва ли не ежедневно подтверждает, что нет явлений абсолютно черных или абсолютно белых. К примеру, у кого возникнут сложности, чтобы ответить на простейший вопрос: что есть добро и что есть зло? Или: что такое хорошо и что такое плохо?

Представление об этих понятиях закладывается в нас с самого раннего возраста. Но, опять-таки, обобщая эти понятия, разве можно однозначно утверждать, что существует чистое, без всяких примесей, зло или безусловное добро? Любовь, милосердие, сострадание — это и есть добро, в отношении этих понятий сомнений ни у кого не возникает. Эгоизм, алчность, чрезмерная жажда обогащения — и тут все ясно: эти человеческие пороки и есть зло. Подобно тому, богатства, какими бы они ни были — материальными или культурными, — добро: чем больше их, тем лучше как для конкретного человека, так и для общества. Но все они при духовной скудности, да и еще добытые нечестным трудом — бесполезны, так как обладающий этими богатствами человек все равно не сможет оценить их по достоинству.

С понятиями «хорошо» и «плохо» тоже не все так гладко, как кажется на первый взгляд. Несомненно, придерживаться всех христианских заповедей, которые составляют основу нашей общественной морали, любить ближнего, трудиться и совершенствоваться — это хорошо. И наоборот, руководствоваться только личными амбициями и побуждениями, прислушиваться только к личным желаниям, напролом идти к достижению своей цели — плохо.

Но так ли это плохо — целеустремленность? И что плохого в том, когда человек ясно представляет себе, чего ждет от жизни? Древняя мудрость гласит: «Цель оправдывает средства». Но даже в этой древней мудрости заложено явное противоречие: все ли средства оправдывают цель?

Инстинкты, как мне представляется, тоже не всегда играли только отрицательную роль в развитии человечества. Общеизвестно, что труд сделал из обезьяны человека. Спорить не буду, но я все же думаю, что первотолчком к подобному превращению был инстинкт, т. е. желание покушать.

Вот что думает по этому поводу Ф. Хайек: «Человечество создало цивилизацию, развивая определенные правила поведения и приучаясь следовать им (сначала на территории племени, а затем и на более обширных пространствах). Зачастую эти правила запрещали индивиду совершать поступки, диктуемые инстинктом, и уже не зависели от общности восприятия. Образуя фактически новую и отличную от прежней мораль (и, будь моя воля, я именно к ним — и только к ним — применял бы термин «мораль»), они сдерживают и подавляют естественную мораль, т. е. те инстинкты, которые сплачивали сотрудничество внутри нее, блокируя и затрудняя ее расширение». И далее: «Однако решающим в превращении животного в человека оказалось именно обуздание врожденных реакций, обусловленное развитием культуры».

Можно ли бороться с несправедливостью и искоренять пороки? А если делать это, то не теми ли силовыми методами, которыми устанавливалась эта несправедливость?

Но пока еще никто не выдумал других, более эффективных способов, нежели запреты и силовое вмешательство. И, в конце концов, так ли это необходимо, если сама организация общества требует элитарности и закономерно воспроизводит ее?

Размышляя над проблемой несовершенного устройства человеческого общества, А. Шопенгауэр писал:

«Как во всех вещах этого мира каждое новое средство, новое преимущество и каждое новое превосходство тотчас же вносит с собой и новые невыгоды, так и разум, давая человеку такое великое преимущество над животными, приносит с собой невыгоды и открывает такие пути соблазна, на которые никогда не может попасть животное. Через них приобретают власть над его волей нового рода побуждения, которые животным недоступны, именно *отвлеченные* побуждения, — просто мысли, которые далеко не всегда извлечены из собственного опыта, а часто порождаются словами и примерами других, внушением и литературой. С возможностью *разумения* тотчас же открывается человеку и возможность *заблуждения*. А каждое заблуждение рано или поздно причинит вред, и тем больший, чем оно было больше. За личное заблуждение когда-нибудь придется заплатить и нередко дорогой ценой; то же в крупном масштабе, и с заблуждениями целых народов. Поэтому нельзя достаточно напоминать, что надо преследовать и искоренять, как врага человечества, всякое заблуждение, где бы оно ни встретилось, и что не может быть безвредных и тем более полезных заблуждений. Мыслящий человек должен вступить с ними в борьбу, должен, даже если бы человечество громко вопило при этом, как больной, которому доктор вскрывает нарыв.

Для массы место настоящего образования заступает своего рода дрессировка. Производится она примером, привычкой и вбиванием накрепко с раннего детства известных понятий, прежде чем накопится настолько опыта рассудка и силы суждения, чтобы бороться против этого. Так-то и прививаются мысли, которые потом сидят так крепко и остаются столь непобедимыми для какого бы то ни было поучения, как если бы они были *врожденными*; да их часто считают таковыми даже философы. Таким путем можно с одинаковым успехом привить людям и справедливое, и разумное, и самое нелепое — приучить их, например, приближаться к тому или другому идолу не иначе как проникшись священным трепетом и при произнесении его имени повергаться в прах не только телом, но и всей своей душой; класть добровольно свою жизнь и имущество за слова, за имена, за защиту самых причудливых пустяков; считать за величайшую честь или за величайший позор, по произволу, то или это и сообразно с этим уважать или презирать человека от глубины души; воздерживаться от всякой мясной пищи, как в Индостане, или есть еще теплые и трепещущие куски, вырезанные у живого животного, как в Абиссинии; пожирать людей, как в Новой Зеландии, или отдавать своих детей в жертву Молоху или оскоплять самих себя, добровольно бросаться в костер, на котором сжигают покойника, — словом, можно их приучить *к чему угодно*...»

Структура человеческого общества несовершенна и противоречива сама по себе. Вслед за Т. Мором, Т. Мюнцером, Т. Кампанеллой, Дж. Уинстэнли, Ж. Милье, Морелли, К. А. Сен-Симоном, Ш. Фурье, Р. Оуэном, А. Герценом и Н. Чернышевским русские большевики мечтали об утопическом социализме — идеальном обществе, основанном на общности имущества, обязательном труде, справедливом распределении, и забывали, что эта идея, как и многие другие в человеческой истории, была всего лишь **учением**, т. е. выдумкой, фантазией. В действительности же со времен Римской империи, по образу и подобию которой выстраивались отношения между народом и властью, ничего не менялось. И те же большевики не сумели привнести в государственное устройство ничего нового. (Воплощение в жизнь идеи о равноправном социальном общежитии, основанном на общности имущества, обязательном для всех труде и справедливом распределении произошло в израильских кибуцах.) Сумев захватить власть, большевики во главе с Лениным очень скоро увидели и поняли, что никакой марксизм (с его тремя источниками и тремя составными частями) в России в принципе не возможен. Декларируя создание самого справедливого и самого демократичного государственного устройства, они создали самое тоталитарное государство.

«Складывается впечатление, что прави-

тельство специально создает бытовые трудности, чтобы, измотав человека до чертиков в
глазах, отвлечь его от более важных проблем,
задушить в нем интеллектуальную и духовную жизнь, — читаем мы в жизнеописании
Галины Вишневской. — Чтобы после работы
и толкания в очередях он имел бы силы лишь
дотащиться домой и, выпив бутылку водки,
лечь спать. Вся жизнь советских людей проходит в «доставании» — будь то продукты,
которых всегда не хватает, или квартира, которую надо не только «достать», «получить»,
но и «заслужить». Дефицитом в стране является все — от туалетной бумаги до автомоби-
ля, зато сколько возможностей радоваться
есть у советских граждан! Когда он наконец
достает нужную ему вещь, радость победы
наполняет его. Если на его столе хороший
обед, он ест его с особым чувством достоинства, потому что преодолел препятствия, рас-
ставленные на его пути в виде очередей со
старухами: дал директору магазина взятку
и вышел победителем с поля боя, что, возможно, не удалось его соседу, и сосед ему за-
видует и его уважает. Если же ему удалось
вместо коммунальной квартиры поселиться
в отдельной, он велик и могуч не только
в собственных глазах, но и в глазах его сослу-
живцев. (Чем вам не сюжет гоголевской «Ши-
нели?! — *В. К.*) Получая все эти жалкие по-
дачки, он начинает думать, что жизнь в стране улучшается, что правительство о нем
заботится. Но, конечно! — сколько лет не было в магазинах туалетной бумаги и стираль-

ного порошка, а сегодня они есть. Спасибо партии и правительству и лично товарищу ...! Ура! Вперед к коммунизму!..

А там, глядишь, и прошла жизнь в ежедневной изматывающей войне с трагическими поражениями и блестящими победами, нескончаемой борьбе с могучим Дефицитом, ибо он как стоглавая гидра — отсечешь ему одну голову, на ее месте немедленно вырастает другая: если сегодня в магазинах появились чайники для заварки, которых не было в продаже несколько лет, то завтра обязательно исчезнут, например, эмалированные кастрюли или утюги, или вата в аптеках, или детские чулки, или бюстгальтеры, или простыни и полотенца, или... или... или...

И борьба продолжается, создавая у человека видимость кипучей деятельной жизни. Несчастный не успевает и заметить, что на унизительную, жалкую «деятельность» ушли его лучшие годы и силы. А если освободить народ от этой ежедневной борьбы, пожалуй, у него будет время задуматься над своим положением холопа, вкалывающего на потребу партийной элите. И возьмет он наконец в руки дубину да как двинет! О нет, советской власти жизненно необходим Дефицит».

Вот он, пожалуйста, истинный смысл той жизни, которой мы и наши родители жили последние восемь десятилетий. Как пел недавно замечательный поэт, композитор и певец Игорь Тальков, «не вращайте глобус, вы не найдете, на планете Земля стран таких вам не отыскать, кроме той, роковой, в которой вы все не живете, — не живете, потому что нельзя это жизнью назвать».

Убив за два десятилетия в человеке духовность, система сама подтолкнула к тому, что описал Б. Сарнов, цитатой из книги которого я начала эти размышления, — к мещанскому накопительству.

Но русский человек не сразу стал мещанином. Поначалу он был христианином и поступал по велению Христа. «Христос велел», — это даже выше, чем поступить «по совести». Следуя заветам Христа вопреки своим собственным желаниям, человек становился ближе к Богу, чем если бы он поступил по естественному движению собственной души, даже совпадающему с Христовыми заветами.

В предисловии я упоминала о том, что два великих русских писателя — Толстой и Достоевский — в своих поисках истинной сущности человека пришли к разным заключениям: Толстой верил в совесть, Достоевский — в Христа. В совесть как в реальность человеческой души Достоевский не верил начисто. Он глубже и глубже проникал в человеческую душу и в один прекрасный момент ужаснулся: на молекулярном, атомном уровне ее суть — полное, абсолютное равнодушие к добру и злу. Великого писателя осенила ужасная догадка, что гуманность в человеке — только привычка. И стоит только подставить вместо этой гуманности — привычной системы нравственных координат — любую другую, как в тот же миг все рухнет. Стоит только авторитетно провозгласить: «Все дозволено!», и толпы людей в тот же миг ощутят себя свободными от всех моральных запретов. Потому что органа, именуемого совестью, у них нет и никогда не было. Была химера, иллюзия, основанная на самовнушении.

Достоевский как в воду глядел. Он твердо знал, что человек без Бога заблудится, погибнет, превратится в животное, омерзительное в своей ужасной, голой сути. Хуже, чем животное! Ведь ни одно животное не додумалось до того, что великая цель может оправдать самое грязное и отвратительное преступление. А человек — додумался, и еще не до того додумается! Потому что, как выразился Зощенко, очень уж у человека поступки — совершенно, как бы сказать, чисто человеческие. Никакого сходства с миром животных.

«Морально все, что служит делу пролетариата!» — провозгласил Ленин.

«Я освобождаю вас от химеры, называемой совестью!» — наставлял немцев Гитлер.

Во все времена человеческой истории мыслители пытались найти разгадку тайны души и разнообразных способов воздействия на нее. Но все их догадки и предположения не выходили за пределы той области, которую исследовал Ф. Достоевский. Даже трезво мыслящие сторонники чисто медицинских объяснений не сомневались, что способом воздействия на человека является его слабая, грешная, мечущаяся, запутавшаяся в противоречиях *душа*.

Во всех своих начинаниях большевики исходили из простейшей предпосылки, на которую до них никто не додумался обратить внимание:

> *Но наука доказала,*
> *что души не существует,*
> *что печенка, кости, сало —*
> *вот что душу образует.*
> (Н. Олейников)

Как самый верный и преданный последователь Ленина, Сталин твердо знал, что самым надежным способом воздействия на душу человека является чисто механическое воздействие на то, что эту самую душу образует, т. е. на печенку, на кости, и на прочие хрупкие органы человеческого организма. Он твердо знал, что никакие психологические ухищрения не могут сравниться с таким простым и надежным средством, как удар носком сапога в пах. К великому сожалению, жизнь показала, что он оказался прав процентов на девяносто.

Психологическая атмосфера в стране за два десятилетия Советской власти подготовила великолепную почву для прихода бездушного мещанина. И, как это ни странно, ускорила его приход война. Советский обыватель, придавленный к самой земле тяжестью каждодневных бытовых проблем и страхом перед всесильной партией, не имел возможности задуматься о противоречиях своей жизни. Ему постоянно внушалась мысль о том, как величественна роль винтика в построении общего светлого будущего для всех народов планеты. И винтик верил в свое великое предназначение, для общего блага принося в жертву себя, своих родных и близких — свою жизнь и свое будущее.

Возможность осуществить великую миссию принесла война. Освобождая народы Европы от фашизма, простой советский человек в первый и последний раз оказался за границей. Он предполагал, что увидит там угнетенные массы трудящихся, изнывающие в рабском труде и жаждущие освобождения. Какое же он должен был испытать разочарование и даже потрясение, когда его взору открылась совершенно противоположная картина. Именно тогда в головах многих простых советских людей возникла крамольная мысль: «Так, значит, нас обманывали?»

Об этом разочаровании можно прочесть в воспоминаниях многих участников войны — от маршалов и генералов до рядовых солдат. Но разочарование, вынужденное потонуть в собственных душевных терзаниях очевидцев жестокого несоответствия между идеей светлого социалистического будущего для всех народов планеты и той противоположностью, что открылась их глазам, ни в коем случае не могло найти должного разрешения. Советские люди понимали, что достичь таких материальных благ на родине не удастся.

Власть не осталась в стороне от вывоза материальных ценностей. Подписанный Сталиным 9 июня 1945 г. секретный приказ № 9036 регулировал порядок конфискации имущества личным составом Красной Армии в поверженной Германии. В течение месяца победители могли присваивать все, что им вздумается.

Простой человек старался увезти домой какой-либо сувенир: крестьянин — самый обычный топор или хотя бы молоток, горожанин — штаны, которые в 30-е гг. были предметом вожделенным и недоступным для большинства. Другое дело, высшие военачальники.

В своей книге «Кремлевское золото» я уже упоминала о том, сколько известных людей пострадали, когда собирался компромат на Жукова в связи с крупными хищениями высшего командного состава на освобожденных территориях. Следует сказать, что некоторые подозрения имели под собой довольно веские основания. Секретные документы, которые хранились в архивах КПСС и КГБ, дают представление об истинных масштабах репараций, которые получил СССР от Германии, в том числе незаконным путем.

Известно, что 5 января 1948 г. секретные агенты МГБ обыскали московскую квартиру маршала Жукова в отсутствие хозяев. Это была часть разработанной по личному указанию Сталина операции, направленной на дискредитацию прославленного полководца. Однако в квартире маршала МГБ обнаружило всего несколько золотых цепочек, колец и других украшений. Но вот обыск в загородном доме полководца Врублева дал более впечатляющие результаты: более чем в пятидесяти ящиках, чемоданах да и просто на полу были обнаружены 4 тыс. метров шелка, шерсти и других тканей, 323 шкуры различных животных, 44 ковра и гобелена, вывезенных из европейских замков и дворцов.

Шеф МГБ Абакумов рапортовал Сталину, что задание выполнено. Он сообщил, что в загородном доме было найдено «большое количество бронзовых статуэток, мраморных ваз, мебели, ковров и других предметов иностранного производства, прежде всего германского». В своем отчете Абакумов также указал на то, что на квартире и даче Жукова было полное отсутствие советской литературы, что вызвало у сыщиков особое недоумение. Они указывали в рапорте: «На книжных полках обнаружено большое количество томов в золотых переплетах. Все на немецком языке».

Конечно, было бы наивно брать на веру все, о чем писал в своем донесении на имя Сталина Абакумов. П. Кнышевский в книге «Трофеи Москвы» утверждает: «Разумеется, Сталину было известно о слабостях его военачальников. В руках вождя их страсть к накопительству превращалась в козырную карту, которую он ловко использовал в интригах против неугодных ему лиц. Согласно собранному компромату, личные трофеи маршала заняли семь железнодорожных вагонов. Там находилось, в частности, 85 ящиков с мебелью германской фирмы «Альбин Май». Маршал лично отдал распоряжение об изготовлении по его заказу всей этой мебели».

В период с 1947 по 1949 г. были арестованы и посажены в Лефортово те генералы и их родственники, которые находились в близких отношениях с маршалом Жуковым. Всех их принуждали к признаниям против полководца.

«В 1947 году была арестована большая группа генералов и офицеров и, главным образом, те, кто когда-либо работал со мной, — писал об этом сам Жуков. — В числе арестованных были генералы Минюк, Варейников, Крюков, бывший член Военного совета 1-го Белорусского фронта К. Ф. Телегин и другие. Всех их физически принуждали признаться в подготовке «военного заговора» против сталинского руководства, организованного маршалом Жуковым. Этим делом руководили Абакумов и Берия...»

Тогда же Жуков вынужден был оправдываться. Он направил письмо секретарю ЦК ВКП(б) А. Жданову, в котором покаялся в том, что привез для своей семьи так много вещей. Он попытался доказать свое алиби тем, что оплатил это добро из своего личного жалованья. Вещи, по признанию Жукова, предназначались его детям и обошлись в 30 тыс. немецких марок. Из оправдательного письма маршала следует, что он также купил кое-какие мелочи, в частности 500—600 метров фланели и шелка для обивки мебели, ткани для оконных штор. Этими материалами предполагалось декорировать интерьер загородного дома Жукова, который был предоставлен ему во временное пользование МГБ.

Что до картин, ковров и люстр, то, как указывал Жуков, он реквизировал их для своего загородного дома из брошенных немецких жилищ. Четыре люстры получило МГБ для обустройства служебного кабинета Жукова. Маршал признал вину в том, что лично не проконтролировал инвентаризацию доставленных в Москву материальных ценностей. Он был уверен, что это дело МГБ, тем более что сам он в течение полутора лет в Москве отсутствовал.

В качестве свидетеля Жуков предлагал допросить министра внутренних дел Серова, который был посредником при покупке и отвечал за финансовую сторону дела. Полководец также признал себя виновным в том, что предметы, не представлявшие для него интереса, не были сданы на склад: «Я думал, это уже никому не нужно». Что до гобеленов, то он «дал распоряжение товарищу Агееву из Министерства госбезопасности, чтобы они были переданы в музей».

Часть «трофеев» Жуков отказался признать за трофеи. Он утверждал, что на самом деле это подарки. Столовое серебро, например, он получил от поляков в знак благодарности за освобождение Варшавы, тарелки — от воинов армии Горбатова.

Что касается дальнейшей судьбы всех этих богатств, то все они были конфискованы спецслужбами и после четырнадцати (!) инвентаризаций переданы в распоряжение управляющего делами Совета Министров СССР.

Небезынтересен финал объяснительной записки маршала Жукова: «как большевик», он дал слово «никогда больше не позволять себе ничего подобного» и высказал убежденность в том, что еще понадобится «Родине, Великому Сталину и партии».

Теперь трудно установить, где правда, а где вынужденные признания, выбивать которые в МГБ были большими мастерами. В отношении маршала Жукова гэбисты вряд ли осмелились бы применять силу, а вот к тем, кто был арестован и проходил по этому делу...

Здесь показательна судьба заместителя Жукова, генерала К. Телегина, который во время войны являлся членом Военного совета Московского военного округа и Московской зоны обороны, Центрального, Донского, Сталинградского, 1-го Белорусского фронтов, а после войны — членом Военного совета Группы оккупационных войск в Германии.

«Относительно Телегина мне нечего добавить, — отвечал на запрос А. Жданова маршал Жуков. — Считаю, что незаконным путем приобрел в Лейпциге предметы домашнего обихода, о чем я заявил ему лично. В то же время я ничего не могу сообщить относительно того, где эти вещи находятся сейчас».

Генерал-майор К. Телегин был арестован 24 января 1948 г. по личному распоряжению Сталина и обвинялся в «очернительстве Красной Армии и антисоветских высказываниях».

Оказалось, что еще в 1945 г., сразу после победы, генерал К. Телегин высказывался в том духе, что, дескать, перед заграницей стыдно за советских солдат, которые находятся в Германии: они выглядят жалко и неряшливо, в то время как их британские и американские товарищи по оружию одеты с иголочки. Только во второй части обвинения говорилось о том, что в 1944—1945 гг. Телегин использовал свое служебное положение в Польше для стяжательства присваивал материальные ценности, которые был обязан передать государству.

По сообщению следователей МГБ, в ходе

проведенного на квартире Телегина обыска было найдено 16 килограммов серебра, 218 отрезов тканей, 21 охотничье ружье, множество антиквариата, картин, мехов, гобелены французских и фламандских живописцев XVII—XVIII вв.

Лишь в первых числах ноября 1951 г. состоялся закрытый судебный процесс Военной коллегии Верховного суда СССР.

«Телегин признал себя виновным», — говорилось в обвинительном заключении.

Но там ничего не говорилось о том, каким способом следователи получили признание от генерала.

Представление об этом дает допрос, который проводил председательствующий на процессе генерал-майор юстиции Зарянов:

«ЗАРЯНОВ: На листе «дела № 206» вы показали: «Чтобы не испортить своих отношений с Жуковым, я стал заискивать перед ним, угождать ему во всем и благодаря этому превратился в его руках в послушную пешку». Правильно вы показали?

ТЕЛЕГИН: Нет, эти показания 17 сентября, когда не мог ни ходить, ни сидеть, после избиения меня полковником Соколовым и следователем Самариным, которые били меня по два раза в день, вырывали из меня куски мяса. Побили кости. После этого я им сказал: «Пишите что хотите, я подпишу».

В упомянутой книге П. Кнышевского цитируется протокол допроса генерала МГБ А. Сиднева. Он руководил оперативной деятельностью органов госбезопасности в Берлине. Вот как ответил генерал на вопросы о своем личном участии в кражах золота и ценных вещей в особо крупных размерах:

«Откровенно говоря, я уже давно опасался, что совершенные мною в Германии преступления вскроются и мне придется держать за них ответ. Мне известно, что каждое подразделение Красной Армии, которое принимало участие во взятии Берлина, брало богатые трофеи. Во многих районах города были обнаружены большие склады с золотом, бриллиантами, другими ценными вещами. Кроме этого, были вскрыты склады с мехами, кожей, бельем, посудой. Все это было украдено. Я входил в число тех руководителей, которые имели все возможности осуществлять контроль за ценностями, захваченными Красной Армией в Германии. Однако этого не сделал. Поэтому признаю себя виновным».

Едва ли кто-то усомнится, что если в 1941—1945 гг. поток трофеев широкой рекой тек на Запад с оккупированных советских территорий, то в 1945 году этот поток не повернулся в обратном направлении. Соблазн для победителей был слишком велик. И не только для армейских верхов, но и для среднего и младшего командного состава. В Кремль от сотрудников МГБ и военной контрразведки поступала обширная информация о незаконном обогащении военнослужащих Красной Армии в Польше и Германии. С января по март 1945 г. военная прокуратура только в странах Восточной Европы приговорила к различным срокам лишения свободы 4148 офицеров: 1089 — за злоупотребление служебным положением, 548 — за грабеж и присвоение чужой собственности, остальных — за менее тяжкие прегрешения.

Сталинский приказ № 9036 весьма своеобразно регулировал «трофейные амбиции» победителей. Так, например, Министерству Обороны предписывалось бесплатно предоставлять генералам Красной Армии легковые автомобили из трофейных запасов по одной единице. За это отвечали военные советы фронтов и военные округа. Таким образом, многие советские генералы и адмиралы, независимо от того, воевали они на фронтах Великой Отечественной или нет, включая начальников военных училищ, получили по «опелю» или «мерседесу». О низших военных чинах Сталин тоже не забыл: каждому офицеру регулярных частей в зависимости от возможностей и фронта он распорядился предоставлять по мотоциклу или велосипеду.

Конечно, сегодня все это выглядит немного комичным или по крайней мере невероятным, но тогда было не до юмора. Единицы автомобилей, мотоциклов и велосипедов были каплей в море трофеев, вывезенных из Германии и Польши в СССР в порядке компенсации за потери, понесенные в результате гитлеровской агрессии.

«Специальные трофейные команды Красной Армии только в 1945 году загрузили 400 тысяч железнодорожных вагонов», — отмечает П. Кнышевский.

Более 20 тысяч из этих железнодорожных вагонов были загружены промышленными товарами и демонтированным оборудованием германских заводов и фабрик, более 73 тысяч вагонов — стройматериалами и предметами обстановки частных квартир. В их числе — 60 тысяч роялей, пианино, аккордеонов, полмиллиона радиоприемников, около 200 тысяч ковров, более 900 тысяч единиц мебели. В восточном направлении шли эшелоны с настенными и напольными часами, посудой, в основном из фарфора, обувью, зимней одеждой. В 24 вагонах находились произведения изобразительного искусства из немецких музеев. Значительную долю трофеев составляли продукты питания. К ним относятся и 20 миллионов литров чистого спирта, доставленного на советские ликеро-водочные заводы.

Особому учету и контролю подлежали золото и платина. В общей же сложности в СССР было вывезено 174 151 килограмм драгоценных металлов. Вот почему Сталин на 12-й день работы Потсдамской конференции заявил об отказе советской делегации от конфискации золота и акций германских предприятий в западной части страны. Он и виду не показал, что репарационные работы уже полным ходом ведутся Советским Союзом в его зоне оккупации Германии.

Американцы и англичане не поверили, когда Сталин сделал предложение: западная часть принадлежит вам, а восточная — нам. Он также заявил, что СССР не претендует на свою долю в промышленном потенциале оккупированных западных зон Германии, а также в Италии. Сталин отказался и от «золота Рейна». Может быть, потому, что в противном случае ему пришлось бы допустить в Восточную Германию трофейные службы западных союзников, которые, несомненно, быстро поняли бы, что никаким золотом «поживиться» там уже нельзя.

5 марта 1953 г. умер Сталин. Но не Система. С одной стороны, пришла «хрущевская оттепель». В страну ворвался поток свежего воздуха, от людей начинал отступать Страх, они переставали опасаться за свою жизнь, им позволено было думать. И они, воспользовавшись дарованным правом, действительно понемногу начинали говорить то, о чем думали. С другой же стороны, ничего не изменилось в системе распределения жизненных благ. В результате от потока свежего воздуха остался лишь порыв, жалкий глоток.

Сложилась довольно-таки странная ситуация. Чтобы не разрушить уже сформированный прочный устой, так как ничего другого взамен предложить пока было невозможно, приходилось изворачиваться, снова подменять практику несостоятельной теорией и бережно охранять идеи, которые были обречены на вырождение.

Жить по законам полумер невозможно и нереально, но в Советском Союзе этот закон сумели воплотить в жизнь. Возьмем, к примеру, страсть к предпринимательству. Тот, кто знаком с аргументированными доказательствами Ф. Хайека, тот поймет, что она неистребима в человеке, потому что заложена в его природе. Даже в эпоху сталинского режима эта страсть находила свое проявление. Можно лишить человека собственности, ограничить его в праве на виды деятельности, платить ничтожную зарплату — все равно из мелких денежных средств будут вырастать сбережения, которые даже под страхом смерти и конфискации нажитого будут вкладываться в дело.

В годы войны и послевоенного восстановления предпринимательство затормозилось в своем развитии, что совершенно очевидно. Но пришла пора «хрущевской оттепели», и предприниматели вновь заявили о себе. Парадоксальность ситуации заключалась в том, что предпринимательство как явление в СССР официально отсутствовало: государство монополизировало права на всякого рода деятельность.

И снова из одной лжи вырастала другая. Питательной средой для подпольного предпринимательства являлось само устройство социалистического государства: невозможно скрестить плановую экономику с рыночными принципами. Как утверждает статистика, во второй половине 50-х гг. начали расти нелегальные доходы населения, к 1960 г. превысив, например, доходы колхозников. В 1961 г. доходы теневиков заметно снизились, но в 1967—1969 гг. возросли опять. С 1970 г. рост нелегальных доходов заметно ускорился. Исключением был лишь 1972 год, когда они несколько снизились. Подобная динамика нелегальных доходов населения, по мнению экономистов, объясняется изменением отношения властей к подпольным предпринимателям.

Официальная статистика в СССР показывала, что расходы населения превышали доходы. В такое легко верится, учитывая ту мизерную заработную плату, которую получали люди. Но деньги все же оседали на вкладах, текущих банковских счетах, в наличных сбережениях. Некоторые не несли свои сбережения в банк, а пускали в «дело». Проявлялся один из нонсенсов социалистического управления экономикой. Если бы она работала в строгом соответствии с марксистской теорией, то баланс между денежными расходами и доходами выполнялся бы точно. В действительности же выходило совершенно иначе: по величине расхождения между расходами и доходами и устанавливается скрытая часть доходов.

Легальная торговля и бытовые услуги не могли полностью удовлетворить потребности населения, и тогда свой существенный вклад вносил «черный рынок». Поэтому обычные советские труженики несли туда свои деньги, чтобы приобрести необходимые товары. Представители же теневой экономики расходовали почти все свои сбережения в легальной сфере услуг: покупали автомобили, дачи, ковры, мебель, хрусталь, изделия из золота и драгоценных камней. Кроме того, они тратили деньги на еду, одежду, обувь, как и все остальные люди. В отличие от безвозвратно потребляемых продуктов, деньги обладают способностью обращаться. Поэтому одна и та же денежная купюра обслуживала не одну, а две единицы товара — на «черном» и легальном рынках, т. е. присутствовала одновременно в легальных и нелегальных денежных доходах.

В 1961 г. Н. Хрущев потребовал от компетентных органов в кратчайшие сроки покончить с экономической преступностью. Власть объявила настоящую войну предпринимателям. Шумные политические процессы ушли в прошлое, но в стране еще остались «враги народа», которые мешали поступательному продвижению к светлому будущему. Таких не только можно, но и нужно было расстреливать, лишать всех жизненных благ. Почувствовав в воздухе запах паленого, подпольные миллионеры типа Корейко вынуждены были затаиться.

«Вы знаете, товарищи, что влагомеры, как правило, во время хлебозаготовок испорчены, — говорил Н. Хрущев. — Заводы сделают хорошие аппараты, но все равно найдутся причины, чтобы влагомер не работал. Почему? Это ясно. Привезут из колхоза или совхоза сдавать зерно, приемщик берет зернышко на зуб и — влажность определил. Как цыган на ярмарке серебряный царский рубль проверял, — оловянный он или не оловянный, так и сейчас некоторые приемщики зерно проверяют: берут зерно на зуб, и готово: влажность 20 процентов, хотя на самом деле влажность, к примеру, 17 процентов. И можете себе представить, сколько такой приемщик «законно» уворовал зерна.

Мы ни одного заведующего складом не осудили за недостачу зерна. Если перевесить хлеб, который хранится на складах, то недостатка не будет, но всегда найдутся большие излишки. Почему? Потому что среди заготовителей есть нечестные люди, они обвешивают, обманывают колхозы и совхозы.

Не секрет, что часто разложившегося, проворовавшегося работника выгоняют с работы, он старается пристроиться на молокоприемный пункт. Как пчелы и мухи лезут на мед, так и разложившиеся элементы идут на эти пункты. Почему? Можно с уверенностью сказать, что он будет сыт и пьян и нос в табаке, и новый домик построит обязательно через год-два. Это все знают. Но почему это делается?

Бутимометры, которыми определяют жирность молока, как правило, разбиты на этих пунктах, и жирность определяют на глазок. А что такое жирность молока, вы слышали».

По указанию Н. Хрущева, КГБ завел многочисленные уголовные дела о хищениях социалистической собственности, валютных операциях и взяточничестве. Под следствие попадали директора заводов, фабрик, совхозов, руководители кооперативов и государственные чиновники. Благодаря обширному опыту работы в расследовании уголовных дел органы в средствах не стеснялись. В ход шли не только угрозы и силовое воздействие, но и обещания сократить срок наказания или полной амнистии. На деле же, однако, эти обещания были сплошным надувательством.

В середине 60-х гг. был арестован подпольный предприниматель Ройфман, с которого начались «текстильные» процессы. Но прямых улик против Ройфмана не было, на допросах он молчал, хотя к нему в камеру подсаживали «наседок» из сотрудничавших с властями преступников. Понимая, что такими примитивными мерами подсудимого не «расколоть» на признание, с ним встретились руководитель КГБ Семичастный и заместитель Генерального прокурора Моляров. Они дали честное партийное слово, что если Ройфман выдаст сообщников и сдаст драгоценности, то его не расстреляют. Он поверил, но его расстреляли.

Вспоминает Владимир Буковский:

«В 67-м году мне в камеру привели человека, пожилого уже, директора какой-то текстильной фабрики. Целыми днями он то сидел неподвижно на койке, уставясь в одну точку, то вскакивал, бил себя кулаками по голове, бегал по камере и вопил: «Идиот! Какой я идиот! Что я наделал!» Постепенно я выспросил у него, что случилось. Оказалось, просидел он девять месяцев в КГБ и девять месяцев молчал. Практически обвинения против него не было — так, пустяки, года на три. Уже и следствие шло к концу, но «наседка» уговорил сдать его свои зарытые ценности — дескать, меньше дадут. И старый дурак послушался: отдал золота и бриллиантов на три с половиной миллиона рублей. Тут же ему, во-первых, влепили еще статью: незаконное хранение валютных ценностей, а во-вторых, пришлось объяснять, откуда он их достал. В результате он не только сам получил пятнадцать лет, но и еще десять человек посадил».

В хрущевскую пору подпольные предприниматели попадались иногда даже на том, что решались заняться настоящей благотвори-

194

тельностью. Они добровольно брали на себя те обязанности, которые в социалистическом обществе должно было выполнять лишь государство. К таким проявлениям ОБХСС и КГБ относились с особой нетерпимостью.

Все знают, что сегодня Арбат — один из наиболее фешенебельных районов российской столицы, где селятся вполне легальные миллионеры. В 60-е гг. это был район коммуналок, и населяли его в большинстве своем простые люди. Но даже в то время на этой улице жили миллионеры. Правда, народ не знал своих героев в лицо. Об одном из них, директоре Московской красильной фабрики Иосифе Львовиче Клемперте, я хочу рассказать.

До тех пор, пока этот человек зарабатывал свой капитал и не пытался решать государственные проблемы по благоустройству сограждан, на него никто не обращал внимания. Но Клемперт, глядя, как плохо живут его рабочие, решил улучшить их бытовые условия. Сначала он попытался выбить у государства средства на строительство жилого дома для рабочих. Но государство было крайне занято другими делами «первостепенной значимости» и не откликнулось на просьбу директора красильной фабрики. Тогда Клемперт решил построить дом на собственные средства, что, как оказалось впоследствии, было роковой ошибкой.

Дом получился роскошный, не в стиле тогдашних «хрущевок». Люди были уже готовы въехать в роскошные апартаменты, как тут нагрянула инспекция с проверкой. Как из рога изобилия посыпались на голову неосторожного Клемперта всевозможные неприятности: уж очень ревностно отнеслось государство к благому начинанию. Ведь только партия и Советское правительство имели право заботиться о народном благосостоянии. В итоге рабочие так и не заселились в роскошный дом, а Клемперт в 1965 г. был арестован и расстрелян.

Говорят: красиво жить не запретишь. Но рост активности теневиков в 60-е гг. не означал, что власти перестали с ними бороться. Трудности заключались в том, что общество уже не поддерживало такие фальшивые меры. Да и сами блюстители правопорядка — милиция, ОБХСС — почувствовали, что занимаются «не тем делом». Вот почему львиную долю доходов теневиков съедали взятки милиции, высокопоставленным чиновникам и партийным боссам.

Так, по следственным материалам, директор елисеевского «Гастронома» Соколов более 50-ти процентов выручки «отстегивал» тем, кто обеспечивал ему «крышу». В 70-е гг. на Карагандинской фабрике меховых изделий предприниматель Снопков так организовал производство, что каждое второе изделие шло на «черный рынок». Своей деятельностью он не препятствовал социалистическим принципам: фабрика справлялась с планом, ей вручались переходящие знамена и вымпела, награждались передовики и ударники. Кроме того, наряду с официальной зарплатой работникам выплачивался заработок и за шитье левой продукции. И ни один рабочий Карагандинской фабрики меховых изделий не жаловался на то, что его труд эксплуатируется и за его счет наживается кто-то другой.

Снопкову, как и многим другим теневикам, приходилось заводить знакомства среди состоятельных людей, готовых рискнуть вложить свои капиталы в выгодное дело, и среди тех, кто мог обеспечить им относительное спокойствие. Закупив сверхмощное оборудование, Снопков вместе с Дунаевым, возглавлявшим юридическую консультацию, и Эпельбеймом, заведующим кафедрой уголовного права в Высшей школе МВД, создали цех по производству меховых изделий. В районном отделении милиции у них был свой человек, который предупреждал о малейшей опасности.

Но «прикрытие» осуществлялось и на более высоком уровне. В гостинице «Метрополь» в Москве компаньоны постоянно держали номер-люкс, в котором принимали высокооплачиваемых гостей из партийного и хозяйственного руководства. Их услуги оплачивались не только мехами и деньгами, но и дорогими проститутками.

Коррумпированность органов охраны правопорядка вела к ослаблению общей борьбы с преступностью. За период с 1961 по 1975 г. доходы мафии поступательно возрастали — с 96,2 % до 105 %. В то же время, росло и число регистрируемых преступлений — с 87,8 тысяч в 1961 г. до 119,8 тысяч в 1975 г. Связь между теневым бизнесом и ростом преступности очевидна.

«Черный рынок» требовал огромных денег

за престижные товары. Советские труженики со своей нищенской зарплатой могли взять эти деньги только воруя, грабя, занимаясь проституцией или другим неблаговидным бизнесом. Вместе с тем, чем больше были нелегальные доходы, тем больше плодилось взяточников. Приходилось платить таможенникам, милиции, чиновникам, которые закрывали глаза на экономические правонарушения. Выработался даже особый взяточнический лексикон: если, к примеру, чиновник говорил «зайдите во вторник», то подразумевалось, что ему нужно дать две тысячи рублей; если же он говорил «зайдите в пятницу», он требовал пять тысяч рублей.

Подпольные предприниматели и чиновничество стали по сути дела единым кланом. Каждый из представителей этого клана нуждался в другом, чтобы не иссякла золотая жила поступлений. В конечном итоге все это не могло не отразиться на политике, так как у кормушки власти находились заинтересованные в подобном беспределе люди.

Исследуя эту проблему, Юрий Бокарев пишет:

«Ярким примером совместной политической деятельности чиновников, партократов, подпольных предпринимателей и беспредельников является дискредитация и развал партийной программы, принятой XXII съездом КПСС. Больше всего не устраивал мафию в этой программе курс на слияние государственной и колхозной собственности в рамках агропромышленной интеграции. Дело в том, что ко времени принятия программы мафия овладела плодоовощными базами и колхозными рынками. В сметливом уме подпольных предпринимателей сразу же зародился план, как делать деньги, перекачивая продукты из плодоовощных баз на колхозные рынки. Продукты на базы поступали из колхозов и совхозов. Работники баз, используя дармовую рабочую силу студентов, инженеров и рабочих, производили сортировку продукции. Дармовая рабочая сила была полезна и в другом отношении: на воровство ученых можно было списать любую утечку продукции, зарегистрированную ОБХСС. После сортировки худшая продукция поступала в государственные магазины и вызывала бурю негодования по поводу качества социалистической продукции, а лучшая часть через подставных лиц продавалась на колхозных рынках.

Еще в конце 70-х годов я подсчитал размеры перераспределяемой таким образом продукции, поступившей на плодоовощные базы. Подсчет базировался на расхождениях в показаниях сельскохозяйственной статистики и статистики торговли...

Мы видим, что всегда в государственных магазинах оказывалось меньше продукции, чем поступало на плодоовощные базы. Однако и до колхозных рынков доходила только часть реализованной жителями села на внедеревенском рынке продукции. Получается, что существенная часть товарной продукции исчезала. Считалось, что она сгнивает на плодоовощных базах. Однако куда девались колхозные продукты?

Вопрос интересный. Сельскохозяйственная статистика регистрировала любые случаи продажи сельчанами продукции, включая и продажу перекупщикам. Статистика торговли регистрировала только реальный оборот колхозных рынков. Поэтому разница в показаниях сельскохозяйственной и торговой статистики объясняется наличием скупленной у сельчан, но не проданной продукции.

Кому же выгодно было гноить не только «бесплатную» государственную, но и купленную на личные деньги продукцию? Да тому же, кто и устроил систему перераспределения сельскохозяйственных продуктов с плодоовощных баз на колхозные рынки. Дело в том, что теневая торговля была очень заинтересована в поднятии цен на колхозных рынках. Поэтому она не желала, чтобы предложение превысило спрос.

Колхозников останавливали у ворот рынка. Им предлагали оптом закупить все содержимое их машин. Несогласных заставляли силой. В результате если в 1960 году цены колхозного рынка на картофель и овощи превышали цены государственной торговли в 1,77 раза, то в 1975 году — уже в 2,78 раза!

Однако в 60—70-е годы торговая мафия еще не действовала так открыто. Она боялась разоблачений. Поэтому она была заинтересована в сохранении сложившейся экономической системы. Важно было, чтобы существовали колхозы и совхозы, поставляющие на плодоовощные базы свою продукцию, чтобы сохранялись приусадебные участки, на которые можно

списывать рост оборотов торговли на колхозных рынках.

Однако с начала 60-х годов в стране стала
развиваться агропромышленная интеграция.
Совхозы строили на своей территории заводы
по переработке сельскохозяйственной продукции, укрепляли транспортную систему и заво-
дили магазины в городах. К началу 1966 года
в стране было организовано 287 совхозов-заводов. В 1972 году — их было уже 700...

Все это, понятно, отнюдь не радовало тор-
говую мафию. Во-первых, с развитием агропромышленной интеграции решалась продо-
вольственная проблема и перепродажа сельскохозяйственных товаров с плодоовощных
баз на колхозные рынки перестала бы прино-
сить доход. Во-вторых, с развитием в городах
сети магазинов совхозов-заводов существование и самих плодоовощных баз, и колхозных
рынков становилось ненужным.

Уже в начале 70-х годов на агропромышлен-
ную интеграцию стали производиться атаки.
Использовались все средства: партаппарат,
министерства, наука, литература, печать, экономические диверсии. Через Политбюро, например, было проведено постановление против
чрезмерного гигантизма в агропромышленном
движении. У совхозов-заводов отобрали магазины, а заодно и транспорт. После этого их
можно было прихлопнуть экономически.

Например, эфирномасличные культуры не
переносят длительного хранения. А что, если
прикрыть им рынок сбыта? Ну, конечно, не
просто ничего не покупать, а, например, не по-

давать транспорт или срезать фонды. Ведь если не покупать, то это обратит на себя внимание, а перебои с транспортом, срезание фондов — обычное для социализма дело...

Первое потрясение приходится на 1971 год, когда из-за нехватки средств на оплату труда произошла текучка кадров. В результате производство сырья упало на 6,1 %, но производство эфирных масел сократилось меньше — всего на 3,5 %. Второе, более мощное потрясение случилось в 1972 году. Этот год беды не обещал. И число совхозов-заводов, и площадь сельскохозяйственных угодий, и количество работников значительно возросли, но во время уборки сельхозтехнику у них изъяли. В результате сбор сырья составил лишь 56,5 % от прошлогоднего, а производство эфирных масел — только 76,1 %...

Есть и менее «тонкие» случаи. В 1978 году я проводил полевое исследование и собрал следующие данные. Новосибирская область всегда страдала от недостатка овощей. Помидоры сюда привозили из Болгарии. В начале 70-х годов были созданы два овощеводческих совхоза-завода, достаточных для удовлетворения потребностей области. В момент урожая не был подан транспорт. Гигантский урожай сгнил на полях. Совхозы-заводы расформировали.

Агропромышленное объединение «Крымская роза» отрезали от рынков сбыта. Представьте себе огромные склады, заваленные ароматными розовыми лепестками. Рядом находится «опытное» хозяйство ВАСХНИЛ.

В момент гниения розовых лепестков приехала комиссия ЦК. Посмотрела, как плачевны дела «Крымской розы», полюбовалась на цветущее «опытное» хозяйство, поставила галочку и уехала».

Приведенная цитата свидетельствует о том, как мафия достигла своей цели. Нельзя сказать точно, какие перспективы были бы у социализма, если бы агропромышленная интеграция была проведена и завершена. Но с ее крушением у социализма уже не стало никаких перспектив.

Постепенно и сознанием людей овладевала пустота. Пугающая пустота. Но проблема эта по большому счету уже никого не волновала. Наружу вырывались лишь нерегулируемые животные инстинкты, народ был поражен алкоголизмом — болезнью периода развитого социализма, периода *брежневщины*. Чтобы победить животные инстинкты, требовался мощный взрыв общественного негодования или длительное время бездействия.

Первое, в силу объективных причин, произойти просто не могло. Тогда-то время, отведенное на самопожирание коррумпированной власти, и включило свой счетчик.

«БРАКИ СОВЕРШАЮТСЯ

В ЗАГСах»

*Брак — слишком совершенное состояние
для несовершенного человека.*

Н. Шамфор

*Мужчина любит обыкновенно женщин,
которых уважает; женщина обыкновенно
уважает мужчин, которых любит. Потому
мужчина часто любит женщин, которых не
стоит любить, а женщина часто уважает
мужчин, которых не стоит уважать.*

В. Ключевский

Исторические события при написании книги — в первую очередь партийно-политическая карьера отца — являлись для меня той основой и фоном, на котором взросла Галина Брежнева — ребенок своих родителей и дитя своего времени. Здесь более всего меня интересовала, скажем так, революция ее личности, т. е. та деградация, которая в период *брежневщины* стала всеобщей. Неизбежность этой деградации, пугающей пустоты в сознании людей, я и стремилась обосновать на предыдущих страницах. Для моей героини, как и для подавляющего большинства советских людей, она вылилась в несчастливую семейную жизнь, уход от нормальной продуктивной жизни в богемщину, неразборчивые связи, склонность к сквернословию, жажду накопительства и обогащения, алкоголизм.

Все эти пороки, как я уже говорила, имели под собой довольно веские основания: в той Системе, которая была создана 17-м годом, они не могли не возникнуть.

Однако давайте остановимся на них более подробно.

Как в этой, так и в предыдущих своих книгах я неоднократно говорила, что идеология большевизма была направлена против многовековых древних устоев.

Первый удар приняла на себя религия. Я не говорю: православие, а именно *религия*. Российская империя была многоверной и многоконфессиальной страной, однако предпочтение отдавалось официальной теории народности, сформулированной в 1834 г. министром просвещения С. Уваровым: «православие, самодержавие, народность».

Ни в какой другой сфере репрессивная сущность царизма не проявилась с такой силой, как в религиозной сфере. Православие являлось основным идеологическим символом русского самодержавия и основным источником его законности. Незыблемость самодержавия и незыблемость веры были неразделимым единством. При этом вера являлась моральным основанием и высшей религиозной санкцией самодержавия. Ни о каком разговоре по поводу отделения церкви от государства не могло быть и речи.

Кроме того, в России осуществлялось планомерное ограничение прав и свобод иноверцев, их преследование: протестантские сектанты вызывали у царизма опасение успешной пропагандой, униатов заставляли переходить в православие, иудаистам определяли черту оседлости. (Кстати говоря, по этому поводу хотела бы ответить различного толка воинствующим юдофобам, обвиняющим евреев во всех бедах русского народа последнего столетия: ни в одном тогдашнем европейском государстве евреи не подвергались таким преследованиям и ограничениям в правах, как в России. Поэтому ни в одном европейском государстве в еврейской среде до такой степени не развилась революционно-атеистическая идеология, как в России. Это привело к тому, что в еврейских ешивах ученики вместо Талмуда тайком читали Писарева и Чернышевского (который сам был сыном православного священника). Вот почему эти ученики, когда выросли, без раздумий встали в ряды «воинствующего атеизма», разрушавшего и церкви, и синагоги. Если придерживаться исторической правды, то именно в таких причудливых формах устанавливалась связь между русской и еврейской культурами.)

Самодержавие и состарившийся тоталитарный режим еще могли справляться с религиозными ересями, но они уже были не в состоянии справиться со стремительно нараставшим равнодушием и отвращением народа. Три революции, прогремевшие одна за другой в начале XX в., вывели на свет и актуализировали то, что давным-давно созрело внутри тоталитарного самодержавия — его тотальное отрицание.

1917 год принес с собой свободу вероисповедания: церковь была отделена от государства. Православие подверглось разгрому, для всех прежде гонимых сектантов наступило «золотое десятилетие». Но и их время закончилось трагически в 1929—1930 гг.

Почему так произошло?

«Длительное пребывание в самодержавно-православном монолите могло привести к тотальному отрицанию самодержавия и религии, но оно не могло выработать терпимости и правосознания, оно сформировало тот характер, изменить который труднее, чем изменить мировоззрение, — пишет Д. Фурман. — При этом тонкий элитарный интеллигентский слой, в котором постепенно формировался новый характер, где действительно постепенно возникла терпимость, был сметен революцией. Снизу поднялись социальные слои с глубоко архаичным сознанием, которые могли воспринять новую революционную идеологию лишь в квазирелигиозной и догматической форме. Пока в партии лидировал узкий слой революционеров-интеллигентов, еще сохранялась какая-то мировоззренческая терпимость, но этот слой был расколот внутренними распрями и сметен поднявшейся снизу волной. Сознание миллионов новообращенных «марксистов» так же не могло допустить, что действуют церкви, в которых открыто пропагандируется «реакционная идеология», как более полутора тысяч лет назад сознание христиан, пришедших к власти в Римской империи, не могло допустить, что в языческих храмах продолжается «служение демонам». Это глубоко догматическое сознание требовало как можно скорейшего и полнейшего единообразия — единой догмы, единого вождя, единого плана. Сталин был выразителем духа и воли этих людей, и к 1930 году он окончательно привел страну к тому единообразию, которое должно было означать социализм. При этом то, что пережили духовенство и верующие, не поддается описанию — гонение таких масштабов церковь не переживала, наверное, со времен Диоклетиана».

Несмотря на это, большевики многое переняли от старого самодержавного режима и вложили в свою государственную систему. И прежде всего — тоталитарность, переименованную в диктатуру.

Диктатура пролетариата в марксистской теории — власть рабочего класса, установленная в результате социалистической революции и имеющая целью построение справедливого строя — социализма. Та диктатура пролетариата, которую установили в России большевики, не имела ничего общего с марксистской теорией. Их руководящий принцип — демократический централизм, означавший подчинение меньшинства большинству, на деле стал означать подчинение всех одному. Но даже если оставить только демократический централизм, то и в этом случае следует признать, что на самом деле ни о какой свободе личности не могло быть и речи: она исключается демократическим централизмом в принципе, по определению. Поэтому, несмотря на то что уже несколько лет подряд мы пользуемся словом «господин», оно, как и слово «личность», до сих пор продолжают иметь в русском языке если и не уничижительно-критический оттенок, то по крайней мере комический.

Права личности не принимались в расчет ни во времена самодержавия, ни во времена диктатуры пролетариата. Многовековой патриархальный уклад не предполагал развития личностных отношений: русский народ всегда жил общиной, что не могло не сказываться на развитии внутреннего, душевного мира, одним из проявлений которого являлся интимный мир человека.

Эта сфера личной жизни русского человека была регламентирована не только христианскими заповедями, но и глубоко укорененными в сознании народа вековыми традициями.

«Высокое здоровье и красоту древних греков, палестинских евреев и теперешних мусульман можно, между прочим, объяснить тем, что муж *посещает* жену свою, живущую *отдельно в своем* шатре: тут совокупление происходит так нежно, ласкаясь, так свежо и, в заключение, так сладко и напряженно, *с такой большой активностью в себе*, как у нас случается, когда муж с заработка в недалеком городке или с ямщичьей поездки возвращается в дом «на побывку», — пишет В. Розанов. — А несколько обломовский характер вообще русских, как *племени*, как *массы*, происходит едва ли не от «родительских кроватей», еженощного спанья вместе жены и мужа. При этом условии привычно все слеживается, формы приспосабливаются одна к другой, — детей рождается очень много в населении, но с невысокой жизненностью, вялых, анемичных, бесталанных, склонных к заболеванию. Известно, что детская смертность в России велика, как нигде. Нет бури, а все дождичек. Между тем только из бури выходит — талант, красота, сила, жизненность. При «побывках домой» или при «посещениях шатра» (одной из жен), как и в священное установление «субботы», — как известно, начинающейся у евреев с появлением первых вечерних звезд *пятницы* и, следовательно, *центрально* вмещающей в себя *ночь с пятницы на субботу*, когда «старое благочестие каждого еврея требовало родительского совокупления» (признание мне одного еврея), — во всех этих трех случаях разыгрывалась гроза страсти, естественно, она разыгрывалась во всех красотах своих, так запечатленных в «Песни Песней»: «Да лобзает он меня лобзанием уст своих»... У нас все это проходит сонно. Нет свящества, а только «нужда». *Праздник* не окружает совокупление, как у евреев Суббота и у мусульман Пятница... Между тем совокупление должно быть не «нуждою», «сходил» и заснул... вовсе нет: оно должно быть средоточием праздничного, легкого, светлого, беззаботного, не отягченного ничем настроения души, последним моментом ласк, нежности, деликатности, воркованья, поцелуев, объятий. Но как у нас в старомосковскую пору новобрачных, даже *незнакомых* друг другу, укладывали в постель и они «делали», так и до сих пор русские «скидают сапоги» и проч., и улегшись — «делают», и затем засыпают, без поэзии, без религии, без единого поцелуя часто, без единого даже друг другу слова! Нет *культуры*, как *всеобщего*, — и нет явлений, единичности в ней, нет единичных праведных, благочестивых зачатий (кроме счастливых редких случаев)».

Длительное пребывание в самодержавно-православном монолите, о котором писал Д. Фурман, привело к тотальному отрицанию самодержавия и религии. Это отрицание выразилось, как и предсказывал Ф. Достоевский, в полном безразличии к добру и злу.

«Морально всё, что служит делу пролетариата». Эта формула стала удобным оправданием для большевиков и тех, кто за ними пошел: она одна заменила десять библейских заповедей.

Библейское же «не прелюбодействуй» заменила «свободная любовь».

Что под ней подразумевалось, откуда ее корни? Давайте перечитаем одно место из «Манифеста Коммунистической партии» и попробуем себе представить, как оно могло быть понято *гегемоном*, вчерашним деревенским мужиком:

«Но вы, коммунисты, хотите ввести общность жен, — кричит нам хором вся буржуазия.

Буржуа смотрит на свою жену как на простое орудие производства. Он слышит, что орудия производства предполагается предоставить в общее пользование, и, конечно, не может отрешиться от мысли, что и женщин постигнет та же участь.

Он даже и не подозревает, что речь идет как раз об устранении такого положения женщины, когда она является простым орудием производства.

Впрочем, нет ничего смешнее высокоморального ужаса наших буржуа по поводу мнимой официальной общности жен у коммунистов. Коммунистам нет надобности вводить общность жен, она существовала почти всегда.

Наши буржуа, не довольствуясь тем, что в их распоряжении находятся жены и дочери их рабочих, не говоря уже об официальной проституции, видят особое наслаждение в том, чтобы соблазнять жен друг у друга.

Буржуазный брак является в действительности общностью жен. Коммунистам можно было бы сделать упрек разве лишь в том, будто они хотят ввести вместо лицемерно-прикрытой общности жен официальную, открытую. Но ведь само собой разумеется, что с уничтожением нынешних производственных отношений исчезнет и вытекающая из них общность жен, т. е. официальная и неофициальная проституция».

Точную иллюстрацию того, как мог быть понят смысл приведенного отрывка, дает рассказ А. Чехова «Новая дача».

Инженер Кучеров руководил строительством моста недалеко от деревни Обручаново. Живописные окрестные места понравились его жене, которая и уговорила мужа купить небольшой участок земли и построить здесь дачу.

Будучи благовоспитанными интеллигентными людьми и ощущая исконную дворянскую вину перед народом, Кучеров и его жена искренно желали добра деревенским жителям. Но мужики почти сразу же невзлюбили дачников, и отношения не сложились. А тут еще однажды две лошади и бычок инженера случайно забрели на сельский луг.

Разразился скандал.

«Не имеете полного права обижать народ! Крепостных теперь нету!» — разорались деревенские мужики.

Тогда Кучеров решил встретиться с местными, объясниться и как-нибудь уладить конфликт:

«— Здравствуйте, братцы! — сказал он.

Мужики остановились и поснимали шапки.

— Я давно уже хочу поговорить с вами, братцы, — продолжал он. — Дело вот в чем. С самой ранней весны каждый день у меня в саду и в лесу бывает ваше стадо. Все вытоптано, свиньи изрыли луг, портят в огороде, а в лесу пропал весь молодняк. Сладу нет с вашими пастухами; их просишь, а они грубят. Каждый день у меня потрава, и я ничего, я не штрафую вас, не жалуюсь, между тем вы загнали моих лошадей и бычка, взяли пять рублей. Хорошо ли это? Разве это по-соседски? — продолжал он, и голос у него был такой мягкий, убедительный и взгляд не суровый. — Разве так поступают порядочные люди?.. Я и жена изо всех сил стараемся жить с вами в мире и согласии, мы помогаем крестьянам, как можем… Вы же за добро платите

213

нам злом. Вы несправедливы, братцы. Подумайте об этом. Убедительно прошу вас, подумайте. Мы относимся к вам по-человечески, платите и вы нам тою же монетою.

Повернулся и ушел. Мужики постояли еще немного, надели шапки и пошли...»

Полагаю, современному читателю вполне понятен смысл той речи, которую произнес инженер перед крестьянами. А теперь давайте посмотрим на то, как сами крестьяне восприняли и поняли эту речь.

«До деревни дошли молча. Придя домой, Родион (один из тех мужиков, которые встретили Кучерова. — *В. К.*) помолился, разулся и сел на лавку рядом с женой...

— По дороге около Никитовой гречи того... инженер с собачкой... — начал Родион, отдохнув, почесывая себе бока и локти. — Платить, говорит, надо... Монетой, говорит... Монетой не монетой, а уж по гривеннику со двора надо бы. Уж очень обижаем барина, жалко мне...»

В чем же причины подобного непонимания двух человек, говорящих на одном и том же языке?

Ответ на него лежит не в области социальных различий (Кучеров — дворянин, Родион — безграмотный крестьянин). Просто эти два человека обладают различными типами мышления.

Инженер Кучеров является представителем прежних хозяев жизни, Родион — тот тип русских людей, которые *будут названы* хозяевами жизни после большевистской революции. Он обладает мышлением, в котором господствуют общие представления и которое известный французский психолог К. Леви-Брюль считал характерным признаком пралогического мышления. В нем причинно-следственные связи, которые рациональное мышление анализирует, подменялись сопричастием, устанавливаемым между коллективом и значимым для него объектом. Поэтому человек с пралогическим мышлением считает результаты своего труда зависимыми от соблюдения ритуалов и вмешательства сверхъестественной силы.

Пралогическое мышление, которое было характерно для первобытного сознания, было «ориентировано по преимуществу на передаваемые от поколения к поколению «коллективные представления» и безрефлексивное следование традиции» (К. Леви-Брюль). Для «коллективных представлений» индивидуальный опыт является несущественным: его данные никогда не могут поставить под сомнение вековые устои и эффективность магических ритуалов.

Пример с крестьянином может показаться неубедительным. Мол, что тут говорить: крестьянин, он и есть крестьянин, да еще дореволюционный — темный, забитый, необразованный. (Кстати, в советскую эпоху слово «крестьянин» имело отрицательно-уничижительную оценку, которая сохранилась, к нашему всеобщему стыду, до сих пор в сознании горожанина. Эта оценка и смысловое значение ничем не отличается от того, которое слово «крестьянин» имело в тюремно-лагерном лексиконе: крестьяне на нем — вши; крестьянин — глупый, недалекий человек; мелочный, жадный человек; завистник; бездельник, филон.) Нами же не крестьяне руководили, а «великие вожди».

Чтобы развеять подобные мифы, вот вам еще два примера:

«Бажанов, бывший секретарь Сталина, рассказывает, как два секретаря Сталина — он, Бажанов, и Товстуха — разговаривали однажды в коридоре здания Центрального Комитета. Появляется Сталин. Секретари умолкают. «Товстуха, — говорит Сталин после паузы, — моя мать имела козла, который походил на тебя... Он не имел только очков...» Довольный собою, Сталин уходит в свой кабинет».

А вот второй пример:

«Когда я возглавлял правительство, молодой пианист, который получил премию на конкурсе Чайковского, был женат... Не был, а он и сейчас женат. Англичанка, значит. И у них ребенок был. После окончания, после конкурса, они выехали в Англию. Там родители этой англичанки, англичане живут. Мне говорили, что она родом или, значит, родилась в Исландии. Но вот, все-таки англичанка. Английская подданная. Паспорт у нее английский».

Чем вам не язык чеховского Родиона? А между тем этот отрывок взят мной из неотредактированной магнитофонной записи мемуаров Н. Хрущева.

Тип человека, представленный в рассказе А. Чехова Родионом (как и Сталин, и Хрущев), не отделяет себя от общины, от коллектива. Его мышление сродни тому, которое господствует в деклассированной люмпен-пролетарской и воровской среде.

(Люмпен-пролетариат — это бродяги, нищие, уголовники. А разве не в них сталинская государственная система превратила большинство народа? Прочтите произведения В. Шаламова, Л. Разгона, А. Солженицына, Е. Гинзбург — и вы поймете, в какую жуткую мясорубку был ввергнут народ, в одночасье оказавшись в одной огромной зоне, огороженной колючей проволокой).

Так, как крестьянин Родион понял инженера Кучерова, точно так же *новый человек* — «хозяин жизни» — мог понять приведенный отрывок из «Манифеста Коммунистической партии». Логика его до смешного проста: раз «буржуа смотрит на свою жену как на простое орудие производства», раз они, «не довольствуясь тем, что в их распоряжении находятся жены и дочери их рабочих, не говоря уже об официальной проституции, видят особое наслаждение в том, чтобы соблазнять жен друг у друга», то и мы будем делать то же самое. Ведь теперь не они, а мы настоящие хозяева жизни. Да и коммунисты «хотят ввести вместо лицемерно-прикрытой общности жен официальную, открытую». Значит, узаконивают для нас то, что раньше было законом только для буржуа.

И началось по стране повальное «сладострастие» — утоление низменной животной страсти, которую красиво называли увлечением «свободной любовью». Примеры того, каким было это увлечение, я приводила в главе «В "год великого перелома"» (эпидемии сифилиса в провинциях, многочисленные случаи изнасилований, типичным примером которых стало «Чубаровское дело» в Ленинграде, и т. д.).

После непродолжительного периода «свободной любви» уже в 20-е гг. ей была противопоставлена «идейно-классовая любовь», отголоски которой докатились до 70-х гг.

«Коллективизм, организация, активизм, диалектический материализм — вот четыре основных мощных столба, подпирающие собою строящееся сейчас здание пролетарской этики, — вот четыре критерия, руководясь которыми всегда можно уяснить, целесообразен ли с точки зрения интересов революционного пролетариата тот или иной поступок, — писал в 1924 г. в своей статье «Двенадцать половых заповедей революционного пролетариата А. Залкинд. — Все, что способствует развитию революционных, коллективистских чувств и действий трудящихся, все, что наилучшим образом способствует планомерной организации пролетарского хозяйства и планомерной организации дисциплины внутри пролетариата, все, что увеличивает революционную боеспособность пролетариата, его гибкость, его умение бороться и воевать, все, что снимает мистическую, религиозную пленку с глаз и мозга трудящихся, что увеличивает его научное знание, материалистическую остроту анализа жизни, — все это **нравственно, этично** с точки зрения интересов развивающейся пролетарской революции, все это надо приветствовать, культивировать всеми способами.

Наоборот, все, что способствует индивидуалистическому обособлению трудящихся, все, что вносит беспорядок в хозяйственную организацию пролетариата, все, что развивает классовую трусость, растерянность, тупость, все, что плодит у трудящихся суеверие и невежество, — все это **безнравственно, преступно**, такое поведение должно беспощадно пролетариатом преследоваться...

... **«Не прелюбы сотвори»** — этой заповеди часть нашей молодежи пыталась противопоставить другую формулу — «половая жизнь — частное дело каждого», «любовь свободна», — но и эта формула неправильна. Ханжеские запреты на половую жизнь, неискренне налагаемые буржуазией, конечно, нелепы, так как они предполагали в половой жизни какое-то греховное начало. Наша же точка зрения может быть лишь классово-революционной, строго деловой. Если то или иное половое проявление содействует **обособлению** человека от класса, уменьшает остроту его научной (т. е. **материалистической**) пытливости, **лишает** его части производственно-творческой **работоспособности**, необходимой классу, **понижает** его **боевые качества**, долой его. Допустима половая жизнь лишь в том ее содержании, которое способствует росту коллективистических чувств, классовой организованности, производственно-творческой, боевой активности, остроте познания.

...Всякая область пролетарского классового поведения должна опираться при проработке норм ее на принцип **революционной целесообразности**. Так как пролетариат и экономически примыкающие к нему трудовые массы составляют подавляющую часть человечества,

революционная целесообразность тем самым является и наилучшей биологической целесообразностью, наибольшим биологическим благом.

Следовательно, пролетариат имеет все основания для того, чтобы вмешаться в хаотическое развертывание половой жизни современного человека. **Находясь сейчас в стадии первоначального социалистического накопления, в периоде предсоциалистической, переходной, героической нищеты, рабочий класс должен быть чрезвычайно расчетлив в использовании своей энергии, должен быть бережлив, даже скуп, если дело касается сбережения сил во имя увеличения боевого фонда.** Поэтому он не будет разрешать себе ту безудержную утечку энергетического богатства, которая характеризует половую жизнь современного буржуазного общества, с его ранней возбужденностью и разнузданностью половых проявлений, с его раздроблением, распылением полового чувства, с его ненасытной раздражительностью и возбужденной слабостью, с его бешеным метанием между эротикой и чувственностью, с его грубым вмешательством половых отношений в интимные внутриклассовые связи. Пролетариат заменяет хаос организацией в области экономики, элементы планомерной целесообразной организации внесет он в современный половой хаос.

Половая жизнь для создания здорового революционно-классового потомства, для правильного, боевого использования всего энергетического богатства человека, для ре-

волюционно-целесообразной организации его радостей, для боевого формирования внутриклассовых отношений — вот подход пролетариата к половому вопросу.

Половая жизнь как неотъемлемая часть прочего боевого арсенала пролетариата — вот единственно возможная сейчас точка зрения рабочего класса на половой вопрос: все социальное и биологическое имущество революционного пролетариата является сейчас его боевым арсеналом.

Отсюда: все те элементы половой жизни, которые вредят созданию здоровой революционной смены, которые грабят классовую энергетику, гноят классовые радости, портят внутриклассовые отношения, должны быть беспощадно отметены из классового обихода, отметены с тем большей неумолимостью, что половое является привычным, утонченным дипломатом, хитро пролезающим в мельчайшие щели — попущения, слабости, близорукости.

I. Не должно быть слишком раннего развития половой жизни в среде пролетариата — первая заповедь революционного рабочего класса.

Коммунистическое детское движение, захватывая с ранних лет в свое русло все детские интересы, создавая наилучшие условия для развития детской самостоятельности, для физического детского самооздоровления, для яркого расцвета любознательных, общественных, приключенческо-героических устремлений, приковывает к себе все детское внимание и не дает возможности появиться паразитирующему пауку раннего полового возбуждения.

...Первая задача пролетариата — не давать ходу ранней детской сексуальности, а для этого необходимо: указать родителям и школе на необходимость правильного подхода к социальным и биологическим интересам ребенка, всемерно содействовать такому подходу и употребить всю классовую энергию на **наилучшую организацию массового коммунистического детского движения, на внедрение этого движения во все закоулки детского, школьного и семейного бытия**. Оздоровление половой жизни детства сделает в дальнейшем ненужной столь трудную сейчас борьбу с половой путаницей зрелого возраста.

II. **Необходимо половое воздержание до брака, а брак лишь в состоянии полной социальной и биологической зрелости (т. е. 20— 25 лет)** — вторая половая заповедь пролетариата.

III. **Половая связь — лишь как конечное завершение глубокой всесторонней симпатии и привязанности к объекту половой любви.**

Чисто физическое половое влечение недопустимо с революционно-пролетарской точки зрения. Человек тем и отличается от прочих животных, что все его физиологические функции пронизаны психическим, то есть социальным, содержанием. Половое влечение к классово враждебному, морально противному, бесчестному объекту является таким же извращением, как и половое влечение человека к крокодилу,

222

к орангутангу. Половое влечение правильно развивающегося культурного человека впитывает в себя массу ценных элементов из окружающей жизни и становится от них неотрывным. Если тянет к половой связи, это должно значить, что объект полового тяготения привлекает и другими сторонами своего существа, а не только шириною своих плеч или бедер.

На самом деле, что произошло бы, если бы половым партнером оказался классово-идейно глубоко чуждый человек? Во-первых, это, конечно, была бы неорганизованная внебрачная связь, обусловленная поверхностным чувственно-половым возбуждением (в брак вступают лишь люди, ориентирующиеся на долгую совместную жизнь, т. е. люди, считающие себя соответствующими друг другу во всех отношениях); во-вторых, это было бы половое влечение в наиболее грубой его форме, не умеряемое чувством симпатии, нежности, ничем социальным не регулируемое: такое влечение всколыхнуло бы самые низменные стороны человеческой психики, дало бы им полный простор; в-третьих, ребенок, который мог бы все же появиться, несмотря на все предупредительные меры, имел бы глубоко чуждых друг другу родителей и сам оказался бы разделенным, расколотым душевно с ранних лет; в-четвертых, эта связь отвлекла бы от творческой работы, так как, построенная на чисто чувственном вожделении, она зависела бы от случайных причин, от мелких колебаний в настроениях партнеров, и, удовлетворяя без всяких творческих усилий, она в значительной степени обес-

223

ценивала бы и самое значение творческого усилия — **она отняла бы у творчества один из крупных его возбудителей**, не говоря уже о том, что большая частота половых актов в такой связи, не умеряемой моральными мотивами, в крупной степени истощила бы и ту мозговую энергию, которая должна бы идти на общественное, научное и прочее творчество.

Подобному половому поведению, конечно, не по пути с революционной целесообразностью.

IV. **Половой акт должен быть лишь конечным звеном в цепи глубоких и сложных переживаний, связывающих в данный момент любящих.**

V. **Половой акт не должен часто повторяться.**

VI. **Не надо часто менять половой объект. Поменьше полового разнообразия.**

а) Поиски нового полового, любовного партнера являются очень сложной заботой, отрывающей от творческих стремлений большую часть их эмоциональной силы; б) Даже при отыскании этого нового партнера необходима целая серия переживаний, усилий, новых навыков для всестороннего к нему приспособления, что точно так же является грабежом прочих творчески-классовых сил; в) При завоевании нового любовного объекта требуется подчас напряженнейшая борьба не только с ним, но и с другим «завоевателем» — борьба, носящая вполне выраженный половой характер и окрашивающая в **специфические тона полового интереса** все взаимоотношения между этими людьми, больно ударяющая по хребту их внутриклассовой спаянности, по общей идеологической их стойкости (сколько знаем мы глубоких ссор между кровно-идеологически близкими людьми на почве полового соревнования).

VII. **Любовь должна быть моногамной, моноадрической** (одна жена, один муж).

VIII. **При всяком половом акте всегда надо помнить о возможности зарождения ребенка и вообще помнить о потомстве.**

IX. **Половой подбор должен строиться по линии классовой, революционно-пролетарской целесообразности. В любовные отношения не должны вноситься элементы флирта, ухаживания, кокетства и прочие методы специально полового завоевания.**

Половая жизнь рассматривается классом как социальная, а не как узколичная функция, и поэтому привлекать, побеждать в любовной жизни должны социальные, классовые достоинства, а не специфические физиологически-половые приманки, являющиеся в подавляющем своем большинстве либо пережитком нашего докультурного состояния, либо развившиеся в результате гнилостных воздействий эксплуататорских условий жизни. Половое влечение само по себе биологически достаточно сильно, чтобы не было нужды в возбуждении его еще и добавочными специальными приемами. Так как у революционного класса, спасающего от погибели все человечество, в половой жизни содержатся исключительно евгенические задачи, то есть задачи революционно-коммунистического оздоровления человечества через потомство, в качестве наиболее сильных половых возбудителей должны выявлять себя не те черты классово-бесплодной «красоты», «женственности», грубо «мускулистой» и «усатой» мужественности, которым мало места и от которых мало толку в условиях индустриализованного, интеллектуализированного, социализирующегося человечества.

Современный человек-борец должен отличаться тонким и точным интеллектуальным аппаратом, большой социальной гибкостью и чуткостью, классовой смелостью и твердостью — безразлично мужчина это или женщина. Бессильная же хрупкая «женственность», являющаяся порождением тысячелетнего рабского положения женщины и в то же время представляющая собою единственного поставщика материала для кокетства и флирта, точно так же, как и «усатая», «мускулисто-кулачная» мужественность, больше нужная профессиональному грузчику или рыцарю доружейного периода, чем изворотливому и технически образованному современному революционеру, — все эти черты, конечно, в минимальной степени соответствуют надобностям революции и революционного полового подбора. Понятие о красоте, о здоровье теперь радикально пересматривается классом-борцом в плане классовой целесообразности, и классово-бесплодная так называемая «красота», так называемая «сила» эксплуататорского периода истории человечества неминуемо будут стерты в порошок **телесными комбинациями наилучшего революционного приспо-**

собления, наипродуктивнейшей революционной целесообразности.

[...] Надо добиться такой гармоничной комбинации физического здоровья и классовых
творческих ценностей, которые являются наиболее целесообразными с точки зрения интересов революционной борьбы пролетариата.
Олицетворение этой комбинации и будет идеалом пролетарского полового подбора.

Основной половой приманкой должны быть
основные классовые достоинства, и только на
них будет в дальнейшем создаваться половой
союз. Они же определят собою и классовое понимание красоты, здоровья: недаром не только понятие красоты, но и понятие физической
нормы подвергается сейчас такой страстной
научной дискуссии.

X. Не должно быть ревности. Половая любовная жизнь, построенная на взаимном ува-
жении, на равенстве, на глубокой идейной
близости, на взаимном доверии, не допускает
лжи, подозрения, ревности.

Ревность имеет в себе несколько гнилых
черт. Ревность, с одной стороны, результат
недоверия к любимому человеку, боязнь, что
тот скроет правду, с другой стороны, ревность
есть порождение недоверия к самому себе (состояние самоунижения): «Я плох настолько,
что не нужен ей (ему), и он (она) может мне
легко изменить». Далее, в ревности имеется
элемент собственной лжи ревнующего: обычно
не доверяют в вопросах любви те, кто сам не
достоин доверия; на опыте собственной лжи
они предполагают, что и партнер также скло-

нен к лжи. Хуже же всего то, что в ревности основным ее содержанием является элемент грубого собственничества: «Никому не хочу ее (его) уступить», что уже совершенно недопустимо с пролетарски-классовой точки зрения. Если любовная жизнь, как и вся моя жизнь, есть классовое достояние, если все мое половое поведение должно исходить из соображений классовой целесообразности, — очевидно, и выбор полового объекта мною, как и выбор другим меня в качестве полового объекта, должен на первом плане считаться с классовой полезностью этого выбора. Если уход от меня моего полового партнера связан с усилением его классовой мощи, если он (она) заменил(а) меня другим объектом, в классовом смысле более ценным, каким же антиклассовым, позорным становится в таких условиях мой ревнивый протест. Вопрос иной: трудно мне самому судить, кто лучше: я или заменивший(ая) меня. Но апеллируй тогда к товарищескому, классовому мнению и стойко примирись, если оценка произошла не в твою пользу. Если же тебя заменили худшим(ей), у тебя остается право бороться за отвоевание, за возвращение ушедшего(ей) или, в случае неудачи, презирать его (ее) как человека, не выдержанного с классовой точки зрения. Но это ведь не ревность. В ревности боязнь чужой, то есть и своей, лжи, чувство собственного ничтожества и бессилия, животно-собственнический подход, то есть как раз то, чего у революционно-пролетарского борца не должно быть ни в каком случае.

XI. Не должно быть половых извращений.

Не больше 1—2 % современных половых извращений действительно внутрибиологического происхождения, врожденны, конституциональны, остальные же представляют собой благоприобретенные условные рефлексы, порожденные скверной комбинацией внешних условий, и требуют самой настойчивой с ними борьбы со стороны класса... Половые извращения всегда указывают на грубый перегиб половой жизни в сторону голой чувственности, на резкий недостаток социально-любовных стимулов в половом влечении. Половая жизнь извращенного лишена тех творчески регулирующих элементов, которые характеризуют собою нормальные половые отношения: требование все нового и нового разнообразия, зависимость от случайных раздражений и случайных настроений становятся у извращенного действительно огромными...

Всеми силами класс должен стараться вправить извращенного в русло нормальных половых переживаний.

XII. Класс в интересах революционной целесообразности имеет право вмешиваться в половую жизнь своих сочленов. Половое должно во всем подчиняться классовому, ничем последнему не мешая, во всем его обслуживая.

Слишком велик хаос современной половой жизни, слишком много нелепых условных рефлексов в области половой жизни, созданных эксплуататорской социальностью, чтобы революционный класс-организатор принял без борьбы это буржуазное наследство. 90 % современного полового содержания потеряло свою биологическую стихийность и подвергается растлевающему влиянию самых разнообразных факторов, из-под власти которых необходимо сексуальность освободить, дав ей иное, здоровое направление, создав для нее **целесообразные классовые регуляторы**. Половая жизнь перестает быть «частным делом военного человека» (как говорил когда-то Бебель, но он ведь жил не в боевую эпоху пролетарской революции, не в стране победившего пролетариата) и превращается в одну из областей социальной, классовой организации. Конечно, далеко еще сейчас до действительно исчерпывающей классовой нормализации половой жизни в среде пролетариата... Попытки жесткой половой нормализации сейчас, конечно, привели бы к трагическому абсурду, к сложнейшим недоразумениям и конфликтам, но все же **общие вводные вехи для классового выправления полового вопроса, для создания основного полового направления имеются**.

Чутким товарищеским советом организуя **классовое мнение** в соответствующую сторону, давая в искусстве ценные художественные образы определенного типа, в случаях слишком грубых вмешиваясь даже и профсудом, нарсудом и т. д. и т. п., класс может сейчас дать **основные толчки по линии полового подбора, по линии экономии половой энергии, по линии социалирования сексуальности, облагорожения, евгенирования ее**.

... Здоровое революционное потомство при

максимально продуктивном использовании своей энергии и при наилучших взаимоотношениях с другими товарищами по классу осуществит лишь тот трудящийся, кто поздно начнет свою половую жизнь, кто до брака останется девственником, кто половую связь создаст с лицом, ему классово-любовно близким, кто будет скупиться на половые акты, осуществляя их лишь как конечные разряды глубокого и всестороннего социально-любовного чувства и т. д. и т. п. Так мыслится автору «половая платформа» пролетариата.

Несколько слов об «ограбленных», о выхолощенных моими нормами человеческих радостях. Всякая радость, в классовом ее использовании, должна иметь какую-нибудь ценную производительную цель. Чем крупнее эта радость, тем полнее должна быть ее производственная ценность. Какова же производственная ценность всей огромной суммы современных «половых радостей» человека?

Эта ценность на добрых три четверти **чисто паразитическая**. Органы чувств, не получая должных впечатлений в гнилой современной среде, движения, не получающие должного простора, социальные инстинкты, любознательские стремления, сдавленные, сплющенные в хаосе нашей эксплуататорской и послеэксплуататорской современности, отдают всю остающуюся неиспользованной свою энергию, весь свой свободный двигательный фонд, свою излишнюю активность единственному резервному фактору — половому, который и делается героем дня, пауком поневоле. Отсюда раннее пробуждение сексуальности, отсюда ранний разгул ее по всем отраслям человеческого существования, отсюда наглое пропитывание ею всех пор человеческого бытия, даже науки. Культивировать это паучье бытие нашей сексуальности — неужели такой уж большой будет толк от этого для революционной, предкоммунистической культуры? Не лучше ли вернуть ограбленным обратно их добро, не лучше ли, «ускромнив», «усерив», «повыхолостив» разбухшую сексуальность соответствующими твердыми воздействиями (классовый противополовой насос, революционная сублимация), выжать, отсосать из него обратно ценности, похищенные им у организма, у класса? **Советские условия этому как раз максимально содействуют.**

Сколько нового — непосредственного, не увлажненного половым вожделением, — яркого, героического, коллективистического, боевого классового устремления получит тогда заново человек! Сколько острой научной исследовательской, материалистической любознательности, не прикованной больше к одним лишь половым органам, получит человек!

...Советская общественность как нельзя более благоприятствует нашей радикальной реформе полового поведения — из нее мы и исходим при построении наших вех.

Если буржуазный строй создал у господствующих классов колоссальный биологический избыток, уходивший в значительной своей части на половое возбуждение, а с другой стороны — сплющивал трудовые массы, выдавливая крупную часть неиспользованной их творческой активности тоже в сторону полового, советская общественность обладает как раз обратными чертами: она изгнала тунеядцев с биологическим избытком и развязала сдавленные силы трудовых масс, тем высвободив их из полового плена, дав им путь для сублимации. **Сублимационные возможности советской общественности, то есть возможности перевода сексуализированных переживаний на творческие пути, чрезвычайно велики**. Надо лишь хорошенько осознать и умеючи реорганизовать сексуальность, урегулировать ее, поставить ее на должное место...

...Много полового дурмана плодила и отвлеченщина нашей старой интеллигенции. Чем сильнее отрыв от боевой реальности, тем больше в ней внереальной фантастики, то есть больше и половой фантастики. Прикрепленная сейчас к советской колеснице жестко практического строительства, наиболее социально здоровая часть старой интеллигенции перевоспитывается, теряя кусок за куском и лишний половой свой груз, не говоря уже о том, что она постепенно все более настойчиво замещается вновь растущей, вполне материалистической, рабоче-крестьянской интеллигенцией.

Детское коммунистическое движение будет спасать от раннего полового дурмана детский возраст (а не оно ли продукт нашей Октябрьской революции) и т. д. и т. п. [...] Наши дети — пионеры — первыми сумеют довести дело полового оздоровления до действительно серьезных результатов. С них и надо начинать.

Еще несколько слов об обязанностях красной молодежи в половой области. Ей много дано, а потому с нее много и спросится. Октябрьская революция была выстрадана героическим большевистским подпольным кадром, потянувшим за собою массы, давшим колоссальное количество тяжелых жертв пролетарскому благу. Это — героически-революционный фонд, которым питается и еще долго будет питаться развертывающаяся, идущая вглубь пролетарская революция. Какой героический фонд в революцию внесла наша молодежь? Пока она, конечно, многое еще не могла успеть и по возрасту, но, во всяком случае, ближайшие возможности ее боевых героических накоплений не так велики — революция ведь вступила на несколько лет в сравнительно мирную полосу. Поэтому не грех, если в состав героического, жертвенного, революционного фонда среди других частей этого фонда молодежью будет также внесен и богатый вклад половой скромности, половой самоорганизации. Это оздоровит наши нравы, это поможет нам сформировать крепких, творчески насыщенных классовых борцов, это позволит нам родить здоровую, новую революционную смену, это сбережет уйму драгоценнейшей классовой энергии, которой и без того непродуктивно утекает слишком много по неумению нашему.

Для того, чтобы строить, нужно научиться организованно копить».

Всякие комментарии к подобному руководству, как мне кажется, излишни. Конечно, таких правил поведения «социалистической»

234

морали никто не придерживался: ни простой советский труженик, ни самый высокопоставленный партийный чиновник. Подобная «деструкция любви» в нашей стране была связана с господством социального над индивидуальным, диктатом общества над личностью, жесткой социальной регламентацией человеческого поведения, игнорированием неотъемлемой внутренней свободой индивида.

Примитивно понятый коллективизм породил такие гротескные формы «управления человеком», как беззастенчивое «идейно-идеологическое» вмешательство в его внутренний мир, «общественные суды над любовью», наказания за «неугодную любовь». Все это позже приводило к навешиванию на человека печально известного ярлыка за «аморалку», исключению из комсомола, из членов партии, к снятию с должности, увольнению с работы и т. п. Школьников преследовали за юношескую любовь: «Как можно?! Еще дети! Нельзя, рано, опасно!..» На комсомольских собраниях разбирались «дела» отступивших от «общепринятых правил и норм» товарищей, устраивались гонения на влюбленных мальчиков и девочек, их подвергали осмеиванию, оскорбляли и тем самым растаптывали первую романтическую любовь.

Увы, нужно признать, что до сих пор во многих школах (и не только провинциальных) еще немало осталось подобных «блюстителей нравов», которые не принимают ни юношеской любви, ни сексуального воспитания, ни ранних браков. Подобный подход возможен со стороны тех педагогов, которые сами воспитывались методами запретительной педагогики, для которых слово «нельзя» — категорично и не допускает никаких рассуждений.

Принципы, по которым жила Система, устанавливали диктат над чувствами человека, калечили людские судьбы и воспитывали рабскую психологию, насаждали агрессивную мещанскую мораль — убогую, уравнительную, невежественную. Еще в те первые послереволюционные десятилетия этим блюстителям «идейной любви» вколачивалось в сознание убежденность в необходимости тотального контроля над личной жизнью человека, который должен и обязан был находиться под неусыпным «товарищеским» контролем от школьной скамьи и до преклонного возраста. И многие уверовали в возможность авторитарного управления человеческими чувствами и «разумного» подавления неугодной любви.

Дело доходило до того, что «передовые члены общества» не должны были любить «безыдейно» — классовых врагов, «морально неустойчивых», «идейно не выдержанных», женатых мужчин и замужних женщин. Не должны!

Увы!.. Как будто любовь имеет какое-нибудь отношение к «такому долгу»...

Вот откуда «воспитание наоборот» нескольких поколений мужчин и женщин, которые не могут не смотреть на молодых людей иначе, как с нестерпимым раздражением и которые глубоко убеждены в справедливости пресловутого «Не должны!». И неважно, что на каждом шагу сама жизнь опровергала это деспотическое кредо, а поэты тысячелетиями воспевали загадочную природу любви, ее свободу и неподвластность сознательному контролю. Испокон веков любили всех, независимо от возраста, ранга, звания, достоинств, недостатков и... отметки в паспорте.

И только в Советском Союзе кредо действовало неукоснительно. Если кто-то добровольно его не понимал и не выполнял, то общественные организации навязывали его принудительно. Отсюда — нескончаемый поток «персональных дел», разбираемых на комсомольских и партийных собраниях с пристрастными и тенденциозными «допросами» и унизительным «копанием» в человеческой душе. Несчастный «идейно выдержанный» и «морально устойчивый» влюбленный чувствовал свою «вину» и даже «порочность» за то, что любил не «как должно», а как «сердце велит». И тогда ему советовали «взять себя в руки», «прислушаться к голосу разума», подавить «крамольные чувства» и... перестать любить, иначе — «приговор окончательный и обжалованию не подлежит».

И все же Система не была последовательной в своих установках и требованиях. В книге «Кремлевское золото» я уже говорила, что мы жили в стране двойных стандартов. Как это ни странно, но жизнь по двойным стандартам породил пресловутый «демократический централизм». На службе у Системы была иерархия. Тех, кто посягал на иерархические принципы, не миловали. Но «что позволено Юпитеру, не позволено быку». Пренебрегать ими мог только тот, кто занимал места на вершине властной пирамиды и был вхож в ближний круг.

Рыба, как известно, гниет с головы. Так и многие низменные пороки в недавние времена исходили с вершины властной пирамиды. Я не знаю, насколько правда то, о чем написано в книге «Я была любовницей Сталина». Но то, что писали и говорили о ближайшем подручном Сталина, Лаврентии Берия, являлось чистой правдой. По личному распоряжению этого «нахала и похотливого борова», как назвал его один из современников, подручные разъезжали по улицам Москвы в поисках симпатичных девушек и молодых женщин. Нередко бывало и так, что Берия сам отправлялся на «охоту».

У меня нет особого желания пересказывать подробности грязных похождений Берия. Любители пикантных подробностей могут найти их в многочисленных газетно-журнальных публикациях и книгах. Из тех же источников читатель может узнать и об исковерканных судьбах многих знаменитых людей, осмеливших ся, как известная киноактриса Зоя Федорова, отклонить настойчивые домогательства Берия, который воровал и насиловал несовершеннолетних девочек и в кабинете которого после ареста был найден список с именами и фамилиями более ста женщин, по его указу поставляемых гэбэшниками.

Однако не только Берия, но и другие «верные продолжатели дела Ленина—Сталина» страдали чрезмерным неравнодушием к красивым женщинам, особенно к известным певицам, актрисам театра и кино, о чем я уже писала в своей книге «Кремлевская эстрада».

Вообще говоря, кремлевские властители прошлого и настоящего никогда не были равнодушны к представителям искусства.

«Как только я появилась на московском небосклоне — молоденькая певица, — меня подхватили чиновники из Министерства культуры и стали возить по правительственным приемам и банкетам, — вспоминает Г. Вишневская. — Происходили они обычно в посольствах, в ресторане «Метрополь», а самые важные — в Кремле, в Георгиевском зале. Считается это великой честью и почетом для артистов.

Привозили нас в Кремль и проводили под охраной в комнату около Георгиевского зала, где шел банкет. Иногда приходилось по нескольку часов ждать своего выхода. Нервы на пределе — боишься, что от долгого ожидания голос сядет... А тут и Козловский, и Рейзен, Михайлов, Плисецкая, Гиллельс, Ойстрах...

Противнее всего было петь в конце приема. Огромный зал, сотни людей, перед эстрадой — длинный стол, где сидят члены правительства, уже как следует «поддавшие», у всех распаренные лица; один кричит что-то на ухо соседу, другой смотрит на тебя осоловелыми глазами... Стоишь, бывало, на сцене, и хочется сквозь землю провалиться от стыда и обиды. А кругом пьют, жуют, повернувшись к тебе спиной, гремят вилками и ножами, чокаются бокалами, курят. И в этом огромном кабаке ты пой и ублажай их, как крепостная девка. Бывало, дождешься и такой чести, что за стол позовут — сиди с ними, глуши коньяк стаканами.

Меня это великодержавное, лапотное хамство оскорбляло до глубины души, и однажды после выступления у меня началась за кулисами истерика. Какой-то фокусник, что передо мной выступал, отвел меня в угол и загородил собою, чтобы охранники не увидели, что со мной происходит.

— Успокойтесь, что с вами!..

А я плачу, не могу остановиться: как они смеют... как они смеют...

Самые большие артисты прошли через эти концерты. (Ростропович не играл на приемах, его не приглашали: виолончель для наших господ — инструмент непопулярный.)

...Все остальные солисты, расталкивая друг друга локтями, рвутся к правительственной кормушке. Это их возвышает в собственных глазах. Да еще есть возможность что-либо для себя выпросить. (Уже живя в Париже, я получила как-то из Москвы еженедельную газету Большого театра и прочла там, что на вопрос: «Какое самое сильное переживание испытали вы в прошедшем году?» — ведущие солисты оперы Нестеренко и Образцова ответили: «То, что нам посчастливилось петь на банкете в честь 70-летия Л. И. Брежнева!» Ну что ж, их можно только пожалеть, если более счастливых переживаний для них не существует...)

Так до сих пор и соревнуются друг с другом артисты: у кого больше знакомств в правительстве, кто с кем из них водку пьет. Замашки эти, как эстафета, переходят от поколения к поколению. Молодежь видит, что в театре есть посредственности, добившиеся высоких званий и положений не талантом своим, а знакомствами и песнями под пьянку, где надо и кому надо. Видят молодые, что певцов, давно потерявших голоса, уволить невозможно, потому что у них есть покровители в Кремле.

Более близкие знакомства с советской элитой заводятся на приемах, устраиваемых нашим правительством в честь иностранных делегаций, в специально отведенных для этого особняках. В первые годы в Большом театре я часто выступала на них. Наиболее приятное впечатление из всех наших «сильных мира сего» производил Микоян, простой в обращении, отмеченный человеческой индивидуальностью, с живым темпераментом. Другие остались в памяти группой мрачных, квадратных идолов, молча и почти неподвижно стоящих в центре, а вокруг них — увивающиеся подхалимы.

На такие приемы могли вызвать по телефону в любое время — бывало, что и поздно вечером, когда уже спать собираешься. Это значит, что после пьянки какому-то вождю угодно послушать пение любимого артиста. Никому не приходило в голову отказываться — одевались, и через пять минут — уже в черном ЗИСе. Артистов никогда не приглашали с женами или мужьями. Да и члены правительства никогда не бывали с женами — по теремам их прятали.

Бывали в те годы случаи (и со мной тоже), когда любимчика-артиста освобождали вечером от спектакля и он ехал на очередной банкет.

Вращаясь в этом новом для меня «высшем» обществе, я впервые увидела партийных царедворцев в действии. Когда кто-либо из членов правительства оказывает тебе внимание, в твою сторону моментально кидается стая прихлебателей из его окружения. Смотрят заискивающими глазами в надежде через тебя услужить своему хозяину. До чего же это противно и тошно! Все они, как здоровенные евнухи, как сводники, лезут выслужиться, барину в постель подсунуть красивую бабенку. Изойдя подхалимажем, обожравшись на банкетах блинами с икрой, потом у себя на работе самодурствуют, как князья в удельных княжествах, и, компенсируя собственное унижение, гнут в дугу, унижают нижестоящих.

Живя раньше в Ленинграде, я, конечно, знала, что существует привилегированная часть общества, что не все ютятся, как я, в коммунальных квартирах. Но до поступления в Большой театр я и вообразить себе не могла численность господствующего класса в Советском Союзе. Часто, стоя в Георгиевском зале Кремлевского дворца у банкетного стола, заваленного метровыми осетрами, лоснящимися окороками, зернистой икрой, и поднимая со всеми хрустальный бокал за счастливую жизнь советского народа, я с любопытством рассматривала оплывшие, обрюзгшие физиономии самоизбранных руководителей государства, усердно жующих, истово уничтожающих все эти великолепные натюрморты. Я вспоминала свои недавние скитания по огромной стране, с ее чудовищным бытом, непролазной грязью и невообразимо низким, буквально нищенским уровнем жизни народа, и невольно думала, что эти опьяненные властью, самодовольные, отупевшие от еды и питья люди, в сущности, живут в другом государстве, построенном ими для себя, для многотысячной орды, внутри завоеванной России, эксплуатируя на свою потребу ее нищий обозленный народ. У них свои закрытые продовольственные и промтоварные магазины, портняжные и сапожные мастерские со здоровенными вышибалами-охранниками в дверях, где все самого высокого качества и по ценам намного ниже официальных цен для народа. Они живут в великолепных бесплатных квартирах и дачах с целым штатом прислуги, у всех машины с шоферами, и не только для них, но и для членов семьи. К их услугам бывшие царские дворцы в Крыму и на Кавказе, превращенные специально для них в санатории, свои больницы, дома отдыха... В собственном «внутреннем государстве» есть всё. Искренне уверовав в свою божественную исключительность, они надменно, брезгливо не смешиваются с жизнью советских смердов, надежно отгородившись от них высокими непроницаемыми заборами государственных дач. В театрах для них отдельные ложи со специальным выходом на улицу, и даже в антрактах они не выходят в фойе, чтобы не унизиться до общения с рабами...

[...] Звание народного артиста СССР приносило много привилегий. Это и возможность получить хорошую бесплатную квартиру, это и разрешение на поездки за рубеж, это и отдых в правительственных санаториях. Если же заболел, то получишь бесплатно самое лучшее медицинское обслуживание, отдельную комнату в Кремлевской больнице, самые дефицитные и дорогие лекарства, прекрасное питание по заказанному накануне меню. Все как за границей в самых лучших клиниках. Преимущества эти огромные, и ни за какие деньги получить их в России сегодня нельзя — только если правительство присуждением высоких наград, званий выделит тебя из общей серой массы граждан. Те лечатся тоже бесплатно, но лежат на жестких, свалявшихся матрацах с грязным бельем, по десять и больше человек в комнате или в коридорах переполненных больниц. Едят тошнотворную пищу, не получая нужных лекарств, которых всегда недостает в аптеках. Зато при Кремлевской поликлинике, через дорогу от нее, есть аптека, конечно, без вывески и куда вход по пропускам, где можно получить любые заграничные лекарства. За дверью ее стоит здоровенный детина, способный одной рукой схватить и выкинуть любого смерда, «незаконно» прорвавшегося в столь злачное место. Право на пользование Кремлевской больницей дается механически, вместе с присуждением звания, — человек как бы переходит в другое, самое высшее сословие...

[...] И, наконец, еще одно преимущество народного артиста СССР перед другими: после смерти гражданскую панихиду по нем устраивают в главном фойе Большого театра. В этом случае на панихиде играет оркестр театра и поет хор — словом, похороны по первому разряду».

Следует сказать, что у самой Г. Вишневской тоже имелся высокопоставленный поклонник и покровитель — Председатель Совета Министров СССР Н. Булганин, который заваливал ее охапками шикарных цветов и неоднократно признавался в своем неравнодушии.

После столь обширных примеров, я полагаю, у читателя сложилось определенное представление по поводу того, в какой атмосфере и по каким моральным законам и правилам жила и воспитывалась Галина Брежнева. Самой судьбой этой женщине была уготована роль стать воплощением *брежневщины*, ее природы и сущности. Все, о чем говорилось на предыдущих страницах книги, самым непосредственным образом нашло отражение в личной жизни и характере Галины Брежневой.

С юного возраста манерная и театральная, в студенческие годы она отдавала предпочтение светским вечеринкам в тесном кругу близких приятелей, а не учебе в университете и посещению библиотек.

В ней рано стало проявляться женское начало. Однако в силу своего характера Галина Брежнева, натура нетерпеливая и весьма ревнивая, склонная долго и тщательно выбирать спутника жизни, никому из сверстников не отдавала предпочтения. Пока не встретила Евгения Милаева.

Ей тогда было 22 года, ему — 41. Милаев был лишь на четыре года моложе ее отца. К тому моменту, когда Галина впервые увидела его, он успел попробовать себя в гимнастике, акробатике и клоунаде и перешел к эквилибристике.

«В 1951 году в Кишинев прибыл на гастроли передвижной цирк «Шапито», — пишет Р. Медведев в своей статье о Г. Брежневой. — Галина ходила на его представления и увлеклась молодым акробатом и силачом Евгением Милаевым, который удерживал на себе пирамиду из десятка человек. Вскоре цирк уехал из города, но вместе с цирком уехала и Галина. Милаев стал ее первым мужем, и она вернулась в семью отца лишь через год, но уже с маленькой дочкой, заботу о которой взяла на себя жена Брежнева — Виктория».

Она действительно увидела в нем мужчину своей мечты. Статный, крепкий, внешне привлекательный мужчина в полном расцвете сил, Милаев покорил ее буквально с первого взгляда. В Галине вспыхнуло сильное чувство, которому она отдалась тут же, без всяких раздумий, и которого — увы! — позже в своей жизни не испытала ни к кому. Она не могла ни о чем думать, кроме как о своем внезапном счастье, переполнявшем ее сердце. (Думаю, что и детей потом она тоже не рожала по той же причине. Дочь Виктория, рожденная от огромной любви и страсти и названная в честь бабушки, оказалась ее единственным ребенком.)

Родителям, однако, не понравилось то, что дочь не посоветовалась и, оставив учебу в университете, на последнем курсе вышла замуж. Только теперь они воочию убедились, что действительно мало внимания уделяли воспитанию Галины.

(Вот почему Л. И. Брежнев, когда Галина вернулась в отцовский дом с маленьким ребенком на руках, поспешил осенью 1952 г. в Днепропетровск. Он не просто поехал повидаться с многочисленными старыми друзьями и знакомыми. Он, скорее, внутренне ощущая свою вину перед детьми, хотел убедиться, как идут дела у сына. Устраивая вечера для него и его друзей, Л. Брежнев тем самым выражал Юрию свое искреннее отцовское беспокойство за его дальнейшую судьбу и будущую карьеру. Лишь убедившись, что у сына все нормально и что он не свернет с намеченного пути, Л. Брежнев немного успокоился.)

Брачный союз с самого начала был обречен на неудачу. Как только молодая пара от праздника перешла к обычным семейным будням, для Галины спал покров обожания и восхищения с привлекательного силача. Она увидела, что Милаев на самом деле далеко не такой, каким она себе представляла. Довольно беспокойный и эгоистичный, нередко проявлявший упрямство и строптивость, малообщительный, холодный и сдержанный в проявлении эмоций, он был не в силах снести ту повышенную требовательность, которую предъявляла ему Галина Брежнева.

Поэтому нет ничего удивительного и в том, что недовольство поведением молодой супруги росло у него день ото дня. Галине трудно было угодить, и Милаев тяжело переносил ссоры. Благородство и великодушие не позволяли

247

ему срываться до такой степени, чтобы набрасываться на супругу с ответными нападками и упреками. По характеру скрытный, не любящий исповедоваться и не ждущий исповеди от других, чаще он просто уходил от скандала, замыкался или отделывался язвительными колкостями.

Не склонный к вспышкам эмоций, Милаев испытывал в отношениях с Галиной постоянное внутреннее напряжение. Она старалась загрузить его всей черновой работой по дому, но ему не всегда хотелось делать так, как жена того требует.

В конце концов через год с небольшим совместной жизни, состоявшей не столько из светлых дней, наполненных минутами страстных чувств друг к другу, сколько из взаимных упреков и тяжб, они расстались. Склонная больше доверять впечатлениям и ощущениям, привыкшая руководствоваться чувством симпатии и антипатии, Галина не увидела в Милаеве человека с развитым чувством долга и ответственности, которыми он, несомненно, обладал. Она не увидела в нем человека, на которого можно было положиться, которому можно было довериться, не опасаясь предательства.

Сразу же после смерти Сталина, в марте 1953 г., Л. Брежневу нашлось применение: как бывшего начальника политотдела Прикарпатского военного округа и генерала-майора запаса, его назначили на должность заместителя начальника Главного Политического Управления Советской Армии и ВМФ с присвоением

очередного воинского звания — генерал-лейтенант.

В обязанности Л. Брежнева входила политическая работа в ВМФ. Но у адмирала
Н. Кузнецова, первого заместителя министра
обороны и главнокомандующего ВМФ, подобное назначение вызвало законное раздраже-
ние. Он был недоволен тем, что на партийную
работу во флоте назначили человека, который
совершенно не был знаком со спецификой
флотской службы.

Однако наверху к критическим замечаниям
главкома ВМФ никто не прислушался. Назначение Л. Брежнева осталось в силе.

В ГПУ ВМФ Л. Брежнев из своих прямых
служебных обязанностей выполнял лишь отдельные поручения своего прямого начальника генерал-полковника А. Желтова.

Почти все лето 1953 г. Л. Брежнев провел в
Днепропетровске. Бурные исторические события, происходившие в это время в Кремле,
снова прошли для него стороной. (Когда знакомишься с биографией Л. Брежнева, нельзя
избавиться от чувства, что он последовательно
придерживался принципа: подальше от начальства, поближе к кухне.) Он не принимал
в них никакого участия.

А в Кремле между тем происходили поистине судьбоносные события: в самом начале
июля арест Берия, обсуждение «дела Берия»
на Пленуме ЦК, снятие его с поста первого заместителя Председателя Совета Министров
и министра МВД; 19 августа — испытание во-
дородной бомбы; в сентябре — ликвидация

Особого совещания при МВД СССР и других внесудебных органов («знаменитых «троек» и «пятерок»); наконец, вынесение Специальным судебным присутствием Верховного Суда СССР смертного приговора Берия, Меркулову, Деканозову, Кабулову, Гоглидзе, Мешику, Влодзимерскому и приведение приговора в исполнение. Если судить по характеру Л. Брежнева, он не мог не испытать очередного сильного потрясения в своей жизни.

Н. Хрущев, выдвиженцем и ниспровергателем которого считается Брежнев, занял в то время пост Генерального секретаря ЦК КПСС. Председателем Совета Министров СССР являлся Г. Маленков, который тогда еще играл ведущую роль в партийном и государственном руководстве. В ЦК КПСС обсуждался вопрос о проблемах продовольственного снабжения страны, и Н. Хрущев вынес на рассмотрение Президиума ЦК КПСС предложение об освоении целинных и залежных земель в Казахстане, на юге Западной Сибири, в Поволжье и на Урале.

Не все члены Президиума ЦК КПСС и руководители республик поддержали Н. Хрущева, но простым большинством голосов предложение было принято.

После этого встал вопрос о назначении новых руководителей казахской республиканской партийной организации. На пост первого секретаря ЦК КП Казахстана Г. Маленков предложил своего ставленника — П. Пономаренко, который являлся членом ЦК КПСС и после расстрела Берия занял пост заместителя Председателя Совета Министров СССР.

К нему в заместители Н. Хрущев предложил Л. Брежнева, с кандидатурой которого все согласились. Так во главе республики стали люди, которые не были казахами и не знали местных традиций, местного населения, местных экономических условий.

В феврале—марте 1954 г. состоялся Пленум ЦК КПСС, на котором с докладом «О дальнейшем увеличении производства зерна в стране и об освоении целинных и залежных земель» выступил Н. Хрущев. С присущим ему оптимизмом он провозгласил, что в 1954—1955 гг. в восточных районах СССР будет освоено не менее 13 миллионов гектаров земли, с которых будет получено около 20 миллионов тон зерна.

Вскоре после Пленума в Западную Сибирь и Казахстан по указанию Н. Хрущева направились эшелоны с комсомольцами и переселенцами, с сотнями тысяч единиц сельскохозяйственной техники. В приказном порядке все без исключения предприятия и учреждения выделяли для целины автотранспорт, временных рабочих. Туда же было направлено огромное количество солдат инженерных и автомобильных войск.

После Великой Отечественной войны ни один призыв, ни один лозунг не отвечал своему истинному содержанию так, как целинный призыв «Битва за урожай». Освоение целинных и залежных земель и в самом деле сравнимо с военной битвой — как по масштабам, по напряжению, по человеческим и материальным затратам, так и по понесенным потерям.

«Целина прочно вошла в мою жизнь, — от имени Л. Брежнева написано в его книге «Целина». — А началось все в морозный московский день 1954 года, в конце января, когда меня вызвали в ЦК КПСС. Сама проблема была знакома, о целине узнал в тот день не впервые, и новостью было то, что массовый подъем хотят поручить именно мне. Начать его в Казахстане надо ближайшей весной, сроки самые сжатые, работа будет трудная — этого не стали скрывать. Но добавили, что нет в данный момент более ответственного задания партии, чем это. Центральный Комитет считает нужным направить туда меня».

Осторожная натура Л. Брежнева как нельзя кстати подходила на пост заместителя первого секретаря ЦК КП Казахстана. Ведь в первую очередь именно П. Пономаренко нес всю ответственность не только за освоение целинных земель, но и за промышленность, старопахотные земли, разветвленную систему исправительных лагерей и ссылок.

«Что касается Брежнева, то на него легла главная тяжесть руководства непосредственно в районах освоения целины, — пишет Р. Медведев. — Никогда — ни в прежние годы, ни потом до конца своей жизни — он не работал так много, как в течение 15—16 месяцев — с весны 1954 года до лета 1955 года. Ведь следовало не только распахать миллионы гектаров целины, но и создать здесь систему совхозов, обеспечив их кадрами и техникой. Нужно было построить десятки временных поселков, ремонтных мастерских, хранилищ для зерна, провести дороги, обеспечить целинные районы энергией и топливом и т. д. И все это надо было сделать сразу. В обширных районах целины не имелось источников пресной воды, здесь не было ни врачей, ни больниц, почти все приходилось начинать буквально на пустом месте».

А между тем обстановка в Кремле накалялась. В конце января 1955 г. в Москве прошел Пленум ЦК КПСС, на котором Н. Хрущев обрушился с критикой на Г. Маленкова. Он обвинял недавнего ближайшего соратника в смещении приоритетов между тяжелой и легкой промышленностью. В результате на Пленуме было принято решение о снятии Г. Маленкова с поста Председателя Совета Министров СССР и назначении на его место Н. Булганина.

(Следует сказать, что этот период советской истории является для исследователей не менее загадочным и необъяснимым, чем и некоторые другие периоды. Сам Н. Хрущев в мемуарах, написанных уже после отставки, объяснял свое поведение чувством глубокой несправедливости, которая исподволь зрела в нем еще при жизни Сталина. У генерала М. Докучаева вы встретите точку зрения, согласно которой Хрущев испытывал глубокую обиду на Сталина, которому не мог простить расстрела сына Леонида. Какие бы объяснения ни находили историки, мне кажется, что события после смерти Сталина и затем XX съезд партии были продиктованы борьбой за власть: Хрущев таким образом избавлялся от ненужных конкурентов на советский «престол».)

Перестановки в Кремле не могли не сказаться на положении партийного руководства в советских республиках: сторонники Г. Маленкова заменялись на сторонников Н. Хрущева.

Перемены в кремлевских верхах коснулись и Казахстана. Позиции П. Пономаренко, ставленника Г. Маленкова, ослабли. Не в его пользу оказались и те трудности, с которыми пришлось столкнуться: промахи первого целинного года, волнения заключенных и восстания в лагерях, напряженная обстановка со спецпереселенцами.

Кроме того, в последний день 1955 г. по распоряжению Хрущева была образована комиссия для изучения материалов о массовых репрессиях членов и кандидатов в члены ЦК ВКП(б) и других советских граждан в период с 1935 по 1940 г. Естественно, нити многих политических преступлений сразу же потянулись не только к Сталину и Берия, но и к Маленкову, Кагановичу, Молотову, их ближайшим помощникам. (Что касается самого Хрущева, то он остался как бы ни при чем.)

Одним из таких помощников был П. Пономаренко. В начале августа 1955 г. состоялся Пленум ЦК КП Казахстана. Он явился лишь благовидным предлогом для Н. Хрущева, чтобы снять П. Пономаренко с должности первого секретаря.

Доклад о партийной работе и партийных задачах ЦК КП Казахстана делал Л. Брежнев. Он-то и стал новым первым секретарем ЦК КП республики.

В январе 1956 г. в Казахстане проводился VIII съезд компартии республики, после которого был созван Пленум. В бюро ЦК на нем был избран Д. Кунаев, ставший впоследствии одним из тех, кто входил в ближайший круг брежневского окружения.

С 14 по 25 февраля 1956 г. в Москве работал XX съезд КПСС, на закрытом заседании которого перед делегатами выступил Н. Хрущев. Л. Брежнев выступал на съезде как руководитель Казахстана. Главное внимание в его докладе отводилось проблемам сельского хозяйства и освоения целины. Пообещав довести производство зерна в республике до одного миллиарда четырехсот миллионов пудов, он на словах поддержал начинание партии и «лично товарища Н. С. Хрущева по укреплению в стране государственной социалистической законности», которая «была, как известно, ослаблена, а в некоторых звеньях подорвана врагами партии и народа».

На съезде Л. Брежнев по предложению Н. Хрущева был избран членом ЦК, а на Пленуме после съезда — кандидатом в члены Президиума ЦК КПСС и секретарем ЦК КПСС.

С этого момента Л. Брежнев начинает постепенное восхождение на самый верх властной лестницы. В июне 1957 г. он становится полноправным членом Президиума ЦК КПСС.

В этом же году произошло обострение отношений между правящими кланами внутри Президиума ЦК. В самом начале года была проведена частичная реабилитация репрессированных народов и восстановление национальных автономий чеченцев, ингушей, калмыков и карачаевцев. Продолжалась также дальнейшая реабилитация безвинно осужденных в 30-е гг. Те, кто был к ним причастен, не желали предавать огласке свои прошлые преступления, понимая, что репрессивная волна 30-х может повториться, только теперь в обратном направлении.

Хрущев ничего не хотел знать. Всякое проявление недовольства, как демонстрация молодежи в защиту Сталина в Тбилиси 2 марта 1956 г. с плакатами «Долой Хрущева!», «Долой Булганина!», «Молотова — во главе КПСС!», жестоко подавлялось. Встретив сопротивление членов Президиума ЦК по своему предложению о реорганизации управления народным хозяйством, Н. Хрущев оказался в меньшинстве на заседании Президиума 18 июня 1957 г. Лишь кандидаты в члены Президиума, в том числе и Л. Брежнев, встали на его сторону.

Не привыкший к жестким циничным баталиям среди высшего руководства партии, Брежнев, по утверждению некоторых очевидцев, после одной из грубых выходок Л. Кагановича упал в обморок.

Все же окончательная победа оказалась на стороне Н. Хрущева: В. Молотов, Г. Маленков и Л. Каганович были выведены из состава Президиума ЦК КПСС. Их места заняли недавние кандидаты: Л. Брежнев, Е. Фурцева, Г. Жуков, Ф. Козлов, Н. Шверник. Среди кандидатов в члены Президиума появились фамилии А. Кириленко, А. Косыгина, К. Мазурова.

В следующем, 1958 г. Л. Брежнев — заместитель председателя Бюро ЦК КПСС по РСФСР, руководившего партийными организациями самой большой республики в составе СССР. Председателем Бюро был назначен сам Н. Хрущев, однако он почти никогда не принимал участия в работе нового органа, все заседания которого готовил и проводил его заместитель.

Влияние Брежнева постепенно возрастает, и с 1956 по 1960 г. на различные партийные и государственные посты в Кремль перебираются его прежние близкие друзья и соратники по работе в Днепропетровске, Кишиневе, Алма-Ате. Так, например, на работу в Москву в 1956 г. был переведен К. Черненко. Он стал членом редакционной коллегии журнала «Агитатор» и работал в одном из секторов отдела пропаганды ЦК КПСС. Инструктором отдела агитации и пропаганды стал и С. Трапезников. Главным личным помощником с 1958 по 1982 г. стал Г. Цуканов, тоже переехавший в Москву. Постепенно вокруг Л. Брежнева, как некогда в 20-е гг. вокруг Сталина, собралась компания верных и преданных исполнителей.

(И когда в 1964 г. в некоторых рьяных головах созрел замысел о смещении Хрущева, оказалось, что только у Л. Брежнева имеется хорошо организованная и разветвленная преданная команда помощников и сторонников. Кому, как не ему, 1-му заместителю Хрущева, должна была перейти власть?)

Перебравшись в Москву, в середине 50-х гг. Л. Брежнев перевез туда же и свою семью.

Сменила место жительства и Галина, переехавшая в столицу вместе с родителями. Ее брат, после окончания Днепропетровского металлургического института работавший два года сначала в должности помощника прораба, а затем управляющего заводом им. К. Либкнехта, в 1957 г. стал членом партии и поступил на учебу во Всесоюзную Академию внешней торговли.

Галину не привлекали и не интересовали ни посты, ни высокие назначения и должности отца и брата. Круг ее интересов определился кишиневским знакомством с Милаевым и последующим замужеством. Это был не только цирк. Это был высший советский свет столицы, на покорение которого провинциалке Галине Брежневой не нужно было тратить много времени и особых усилий. Стремительное восхождение отца по ступеням партийно-политической иерархии стало безотказной визитной карточкой. В столице у Галины Брежневой мгновенно появились новые друзья, приятели и не вполне бескорыстные поклонники. Ее «отец становился все более влиятельным человеком, и часть этого влияния обретала и Галина».

1958 год в СССР был для Брежнева довольно спокойным и стабильным. В сентябре состоялся исторический визит Н. Хрущева в США (к подготовке которого Брежнев, впрочем, не имел никакого отношения). К принятию Верховным Советом СССР новых «Основ уголовного законодательства», о которых я уже вскользь упоминала, Л. Брежнев тоже не имел отношения.

1959 год начался тем, что в СССР прошел запуск первой многоступенчатой ракеты в сторону Луны. В этом же году состоялся внеочередной XXI съезд ЦК КПСС, принявший план «семилетки». Выступление Л. Брежнева на этом съезде изобиловало восхвалением Хрущева.

1960 год начался с того, что 1 мая, в день празднования Первомая, советские средства ПВО сбили в районе Свердловска американский самолет-разведчик «У-2» и захватили в плен пилота Ф. Пауэрса. Тогда же Н. Хрущев решил убрать последнего из ближайших соратников Сталина, который занимал высокий, но малозначительный пост Председателя Президиума Верховного Совета СССР, К. Ворошилова. Пятого мая на сессии Верховного Совета К. Ворошилова торжественно препроводили на пенсию, а его место занял Л. Брежнев.

Назначение стало для него важным продвижением. Кроме того, этот пост довольно точно соответствовал методам и стилю работы Л. Брежнева. Как в СССР, так и за рубежом его имя становится все более известным: оно очень часто мелькает на страницах газет под наградными указами и приветствиями, его произносят в теле- и радионовостях. Пост Председателя Президиума Верховного Совета, соответствующий посту президента страны, требовал от Брежнева принимать для протокола зарубежные делегации, глав иностранных государств.

В эти же годы Л. Брежнев и сам начинает

наносить визиты за рубеж. Одна из первых таких поездок состоялась в 1960 г. в Югославию. После размолвки между Сталиным и Тито советские руководители старались восстановить с этой страной дружеские отношения.

В официальную поездку в качестве Председателя Президиума Верховного Совета СССР Л. Брежнев взял с собой в Югославию свою супругу и дочь.

Это был первый и последний раз в его жизни, когда он отправился за пределы страны с женой и дочерью: Виктория Петровна по всем статьям уступала жене Тито, бывшей партизанке, вопреки возрасту сумевшей сохранить женскую привлекательность. Что же касается дочери, то ее экстравагантные наряды и шокирующее поведение привлекли такое пристальное внимание западной и мировой прессы, что Брежнев, даже будучи «некоронованным императором советской империи», так ни разу и не рискнул взять ее с собой.

Самой же Галине Брежневой очень понравилось за границей. Даже в преклонном возрасте она сохранила воспоминания о заграничных поездках, как самые приятные дни в ее жизни.

«Весь мир объездила, — говорила она. — И на Брионах баловалась — это резиденция Тито, и у короля Дауда тоже, в Афганистане. В Америке, правда, не была. Не пустили. Там стреляют. Ну я к Феде, на Кубу зарулила».

В 1959 г. официально был оформлен развод Галины Брежневой с Евгением Милаевым. Супруги уже давно не жили вместе и только постоянно ссорились. Зная неуправляемый характер дочери, Леонид Ильич и Виктория Петровна неизменно занимали сторону Милаева.

Галина не слишком переживала разлуку с мужем. Куда большее недовольство у нее вызывало то обстоятельство, что отец зарекся куда-либо брать дочь с собой за границу. Тогда через многочисленных поклонников и приятелей и произошло знакомство Галины Брежневой с директором Управления цирков Советского Союза Анатолием Колеватовым.

Чтобы попасть в заветные списки и получить «добро» на оформление загранпаспортов, многим цирковым артистам приходилось задабривать и «благодарить» этого человека дорогими подношениями и обещанием импортных презентов.

Я полагаю, для нашего читателя нет ничего удивительного в том, что столь высокопоставленный государственный сановник, как директор Управления советских цирков, брал взятки. В той или иной форме их брали, как я уже писала, все. Или почти все. Если, например, М. Суслов, которому была посвящена особая глава в моей книге «Серые кардиналы Кремля», сторонился принимать подношения, то это было связано не столько с его человеческой честностью и конкретной гражданской позицией, сколько с иными качествами, имеющими к честности лишь косвенное отношение.

«...Фурцева с истинно женской легкостью переключилась на другое хобби: бриллианты, золото, на добычу которых перебросила тех же артистов, ибо дилетанты тут не добытчики, —

пишет в своей книге воспоминаний Г. Вишневская. — Предпочитала брать валютой, что могу засвидетельствовать сама: в Париже, во время гастролей Большого театра в 1969 году, положила ей в руку 400 долларов — весь мой гонорар за 40 дней гастролей, так как получала, как и все артисты театра, 10 долларов в день. Просто дала ей взятку, чтобы выпускала меня за границу по моим же контрактам (а то ведь бывало и так: контракт мой, а едет по нему другая певица). Я от волнения вся испариной покрылась, но она спокойно, привычно взяла и сказала: «Спасибо...»

Были у нее свои артисты-«старатели», в те годы часто выезжавшие за рубеж и с ее смертью исчезнувшие с мировых подмостков. После окончания гастролей такой старатель — чаще женщина — обходил всех актеров «с шапкой», собирая по 100 долларов «на Катю», — а не дашь, в следующий раз не поедешь. Мне это рассказывали артисты оркестра народных инструментов на гастролях в Англии. Собирала у них дань подруга Фурцевой, певица нашего театра по прозвищу «Катькина мочалка» (та ходила с ней вместе в баню). Она часто ездила именно с этим коллективом. От хозяйки были у нее специальные инструкции, так что она знала, что покупать, набивала барахлом несколько чемоданов и волокла их в Москву».

Галина Брежнева обходилась без презентов. Анатолий Колеватов и его семья получили от нее нечто большее, чем простой презент: на долгие годы Галина Брежнева одарила их своим покровительством, а жена Колеватова — артистка Л. Пашкова — стала одной из близких приятельниц дочери генсека.

А. Колеватов оформлял ее в заграничные цирковые турне как гримера. С самыми разными цирковыми труппами она стала выезжать за рубеж инкогнито. При ней, как и положено, находились сотрудники всесильного ведомства с грозной аббревиатурой. Поэтому в тех странах, где она бывала, никто не знал, что под видом обыкновенного гримера скрывается дочь высокопоставленного партийного чиновника.

(Позднее, когда Л. Брежнев стал первым лицом государства, Галина «стала ездить за границу более свободно, и ее недоброжелатели утверждали, что она могла вылетать в Париж, чтобы сделать прическу».)

В первые годы своего правления Л. Брежнев как мог старался сдерживать авантюрные порывы дочери. Благодаря бдительности работников 9-го управления КГБ он всегда знал, где и с кем она находится. Но ни уговоры, ни резкие откровенные разговоры и категоричные требования соблюдать хотя бы видимость скромности не могли погасить в Галине страсть к романтическим приключениям.

Вряд ли понимал тогда Л. Брежнев, что дочь во многом скопировала его собственный характер. Он словно бы забыл, как любил в молодые годы мечтать и строить планы, путешествовать, кочуя с места на место, — с Днепродзержинска в Курск, из Курска под Оршу, из Орши — снова в родной Днепродзержинск, а оттуда на Урал. В молодые годы его легко можно было представить и веселым гулякой, и бродягой, и великосветским господином, и даже хвастуном и лжецом. Как потом Галину, домашний очаг никогда не удерживал Леонида Ильича своим теплом. Он появлялся там словно бы для того, чтобы передохнуть, перевести дух, убедиться, что все живы и здоровы, — и тут же отправлялся в новое путешествие. Понятие «движение» с юношеских лет заменило Л. Брежневу понятие «действие». Мне почему-то кажется, что для него эти два слова имели совершенно одинаковый смысл.

Лучше всего Л. Брежнев умел говорить. Он относился к тому типу говорунов, у которых эта способность заложена в натуре. Везде и всюду, где бы ни выступал, Л. Брежнев умел удивить и восхитить своих слушателей пламенной речью. Изучая материалы к биографии Л. Брежнева, мне в голову пришла неожиданная мысль о том, что он мог бы хорошо лечить людей, читая заговоры. (Я говорю это совершенно искренно, без всяких задних мыслей. Тот, кто поставит перед собой задачу скрупулезного знакомства с жизнью этого человека, непременно согласится с моим выводом о том, что Л. Брежнев «родился в рубашке»: от рождения и до самой смерти он был счастливым человеком настолько, насколько это позволяла советская Система.)

Многие из этих черт характера и человеческих качеств Брежнев, как ни странно, и не принимал в дочери. Однако Галине было уже за тридцать. Вполне сформированная личность, ее нельзя было переделать. Женская природа брала в ней верх, и она продолжала искать мужчину своей мечты.

Галина увидела его в Марисе Лиепе. Молодой, стройный блондин с красивыми зелеными глазами, подающий надежды солист балета, он выделялся шармом и привлекательной внешностью. Лиепа перебрался из Риги в Москву, выступал на сцене театра имени Станиславского и Немировича-Данченко, а потом — на сцене Большого театра.

Он родился в 1936 г. в семье Эдуарда и Лилии Лиепы и стал вторым ребенком. (У Мариса есть старшая сестра Эдит, которая впоследствии вышла замуж за чемпиона Латвии по плаванию Гунара Розиньша.) В детстве Марис был самым обыкновенным мальчиком, таким же, как и большинство его сверстников, и ничем не проявлял своих гениальных способностей танцора. Неизвестно, как сложилась бы его дальнейшая судьба, если бы не счастливое стечение обстоятельств. Его отец работал мастером сцены в Рижском театре оперы и балета, а в молодости даже пел в Либавском оперном хоре. Поэтому в их доме часто бывали знакомые отца по театру.

Однажды директор Рижской оперы и великолепный тенор Рудольф Берзинь предложил отцу попробовать Мариса в оперном хоре. Отец не возражал, и Марис стал петь.

Дружил Эдуард Лиепа и с солистом рижского балета Бониславом Милевичем, который тогда уже возглавлял Рижскую балетную школу.

«Уже не помню, с чего однажды зашел разговор, но Милевич стал горячо убеждать отца отдать меня в балетную школу, с тем чтобы я там окреп и набрался сил, — вспоминал М. Лиепа, уже став всемирно известным солистом балета. — В те времена школа носила скорее характер балетной студии, и, конечно же, Милевич даже не подозревал, что, желая помочь моим родителям и просто поставить меня как следует на ноги, он окончательно и бесповоротно решает мою судьбу».

Первым обратил внимание на юное дарование солист рижского балета В. Блинов, который вел у Мариса уроки характерного танца. Настоящим же переломом в душе Лиепы, как сам он признается в воспоминаниях, стала поездка в Москву на Всесоюзный смотр хореографических училищ весной 1950 г.

После окончания средней школы М. Лиепа был приглашен Н. Тарасовым, учителем В. Блинова, на учебу в Москву, где он учился на одном курсе с такими ставшими известными артистами, как Б. Кариева — народная артистка Узбекистана, С. Дружинина — замечательная актриса кино и режиссер, В. Радунская, ушедшая в драматический театр и работавшая в Театре на Таганке.

Закончив через два года с отличием Московское хореографическое училище, Лиепа был распределен обратно в Ригу. В Министерстве культуры полному недоумения парню вежливо объяснили, что национальные кадры должны закрепляться на местах.

В 1956 г. двадцатилетний юноша приехал

в театр имени Станиславского и Немировича-Данченко, вошел в кабинет главного балетмейстера В. Бурмейстера и почти категорично заявил, что предлагает театру свои услуги.

Принятый в театр, он сразу же получил роль Зигфрида в «Лебедином озере».

Первое большое признание, а с ним и известность пришли к М. Лиепе после VI Всемирного фестиваля молодежи и студентов, проходившего с 28 июля по 11 августа 1957 г. в Москве.

«Вариация Конрада принесла мне и первое международное признание на Всемирном фестивале молодежи и студентов в Москве на конкурсе классического танца, — читаем в тех же воспоминаниях, переизданных за три года до кончины артиста. — Я получил тогда свою первую золотую медаль победителя международного конкурса, одну из самых дорогих для меня наград. Это было первым серьезным признанием моих профессиональных достижений. Никогда впоследствии не испытывал, пожалуй, такого прилива радости и удовлетворения. Такое дано испытать лишь однажды».

О нем впервые заговорили, его фотоснимки стали появляться на страницах центральных газет и журналов. Молодые девушки, поклонницы балета, осаждали его у служебного входа, протягивали программки и просили автограф.

Возможно, именно тогда на него обратила внимание и Галина Брежнева. Слухи о романе между ними ходили тогда среди актеров, и некоторые даже поговаривали о том, что Лиепа — самый реальный кандидат в зятья Брежнева.

Однако, вопреки самым смелым предположениям, роман не имел продолжения: Марису Лиепе, хотя и не без труда, все же удалось избавиться от далеко идущих домогательств Галины Брежневой. Слишком разными они были и по характеру, и по взглядам, и по темпераменту.

Всегда целеустремленного, М. Лиепу отличала бережливость, которая порой могла переходить в мелочность. Но в отношении близких людей, которым он симпатизировал и которых любил и уважал, Лиепа был щедрым и открытым. За внешним спокойствием и притягательной веселостью в нем скрывалось внутреннее беспокойство и напряжение. Он был аккуратен, педантичен и довольно честолюбив. С юного возраста в нем была заметна прямолинейность и жизненная сила, несмотря на то что сам артист писал о том, что в детстве был хилым и тщедушным ребенком.

В характере М. Лиепы были заметны некоторые слабости, которые приводили его иногда к заметным ошибкам и самообману. Все дело в том, что Марис Лиепа принадлежал к тому типу людей, которые очень неравнодушны к внешнему блеску, обманчивым декорациям и ярким красочным упаковкам, отличаются любовью ко всему внешнему и красивому, ко всякой мишуре. Он с трудом мог устоять перед лукавством и хитроумством, перед льстивым пройдохой, жуликом или мошенником.

Жизнь преподносила М. Лиепе не меньше огорчений и разочарований, чем радостей и удач. В трудные минуты он все бросал и отправлялся в родную Ригу, где с детства у него осталось много друзей. Там он быстрее всего восстанавливал физические и душевные силы.

За долголетнюю карьеру солиста балета партнершами М. Лиепы были такие балерины, как Велта Вилцинь, Литта Бейрис, М. Плисецкая, В. Бовт, Э. Власова, С. Виноградова, Е. Рябинкина, Н. Тимофеева, Н. Бессмертнова, Л. Семеняка, Е. Максимова, а также знаменитые зарубежные танцовщицы Иветт Шовире, Марго Фонтейн, Дорин Уэлс, Лилиан Кози и Жужа Кун.

Продолжение связи между Галиной Брежневой и Марисом Лиепой было невозможно. Ее вечная таинственность и неверность могли принести ему только разочарование и несчастье (не говоря уже о разнице в возрасте). Кроме того, М. Лиепа не выносил навязчивости и грубости Г. Брежневой.

Ее новым увлечением стал артист, как тогда говорили, оригинального жанра Игорь Кио.

Он происходил из семьи известного советского иллюзиониста Эмиля Гиршфельд-Ренарда. Когда Эмиль-старший только начинал выступать с иллюзионными номерами, о его прошлом ходили самые невероятные слухи. Говорили, что он индус, йог и чуть ли не заклинатель змей. Находились и те, кто уверял, что Эмиль Теодорович — отпрыск индийского жреца.

Конечно, все эти версии были далеки от истины. Прежде чем стать иллюзионистом, Э. Т. Кио прошел трудный жизненный путь. Он был билетером, униформистом, служителем при слонах, берейтором на цирковой конюшне, воздушным акробатом.

«А начал он с театра, — пишет В. Марьяновский. — Ученик московского реального училища, юный Эмиль увлекался драматическим искусством. По соседству с их домом, на Сретенке, находился театр миниатюр «Одеон», где он тайком от родителей пропадал чуть ли не каждый вечер. Легкие, веселые сценки, шедшие на сцене этого театрика, очень нравились восторженному реалисту, он знал их почти наизусть и мечтал о роли, пусть самой пустяковой».

Ему помог счастливый случай: в начале 1917 г. перед одним из спектаклей заболел актер. Эмиль не упустил возможность. К тому времени он уже успел познакомиться почти со всеми участниками труппы. Узнав о заболевшем актере, он упросил одного из старых участников труппы поговорить с хозяином.

Выслушав предложение, Н. Гриневский, владелец и режиссер «Одеона», не проявил особого интереса к просьбе Эмиля. Только безвыходное положение заставило его согласиться.

Вся его роль заключалась в том, что надо было всунуть лицо в отверстие лубка и спеть немудреные куплеты. Как прошел дебют, Эмиль плохо помнил. Однако после выступления Н. Гриневский согласился включить его в состав труппы в качестве актера «на выхода». Узнав об этом, родители юноши очень огорчились. Они видели в своем сыне будущего солидного врача с практикой на дому.

Октябрьская революция застала труппу Гриневского в Киеве. Вскоре после начала гражданской войны Киев захватили германские войска. Начались разруха, голод, бандитизм, и людям стало не до театра. Гриневский решил отправиться на гастроли в Варшаву, но и здесь дела пошли неважно, и труппу пришлось распустить.

С огромным трудом Эмилю удалось устроиться билетером в цирк Александра Чинизелли, потомственного дрессировщика, владельца цирка и отличной конюшни. Бывали дни, когда Эмилю приходилось надевать униформу и часами простаивать у форганга, помогать артистам, ухаживать за животными. А ночью или в ранние утренние часы он втайне от всех потихоньку разучивал на конюшне акробатические трюки.

Однажды за этим занятием его застал Мечислав Станевский, цирковой клоун. Понаблюдав за ловким парнем, он предложил ему обратиться к Краузе, воздушному акробату. Тот согласился попробовать Эмиля в номере, и после нескольких репетиций молодой артист уже летал под куполом цирка, попадая в цепкие руки ловитора, и вновь срывался с мостика навстречу трапеции, направленной ему партнером.

Будучи человеком ищущим, с острым чувством творческой неудовлетворенности, Эмиль втайне готовил собственный номер. И вскоре на рекламных тумбах появилась афиша, сообщавшая о новом «смертельном номере» под куполом цирка: «Десять минут между жизнью и смертью».

«Под куполом цирка я балансирую на стуле, две ножки которого установлены на стаканах, стоящих на трапеции, — позднее описывал свой первый номер Э. Кио. — Я срываюсь с этой зыбкой «основы», лечу вниз и цепляюсь ногами за другую трапецию. На блоке подтягиваю стул наверх, устанавливаю его, сажусь и, балансируя, небрежно откидываюсь на спинку. Затем, после объявления инспектора манежа, исполняю рекордный трюк воздушного баланса: на трапецию ставлю стакан, на него одной ножкой опираю стул и в таком положении сажусь на него. Зрителям мой номер нравился, хозяин повысил зарплату, и, казалось бы, все шло хорошо...»

Однако вскоре произошел несчастный случай, который едва не стоил жизни Э. Кио. Работать под куполом цирка ему было больше не суждено, и он стал администратором. Должность беспокойная и хлопотливая: от расторопности администратора во многом зависели сборы, а значит, и само существование труппы.

Дела у цирка Чинизелли шли не очень хорошо. В Вильно, куда он переехал, выступления не имели успеха. Спас положение Кио. Еще в Варшаве он познакомился с факиром Бен-Али и теперь предложил владельцу цирка ввести в цирковую программу этот номер. Чинизелли согласился отправить Эмиля в

272

Варшаву на поиски Янушевского (настоящая фамилия Бен-Али).

Хлопоты не пропали даром: трюки факира произвели большое впечатление на публику, и вскоре о них заговорил весь город. Сам Э. Кио поначалу оставался равнодушным к искусству Бен-Али, который однажды предложил ему стать учеником.

Скопив немного денег, в 1919 г. Кио приехал в Берлин и растерялся: здесь было несколько магазинов, торгующих «волшебным инвентарем». Он отправился к Конраду Хорстреру: его магазин был поскромнее и подешевле. У Эмиля хватило денег, чтобы купить один-единственный аппарат: «волшебный» ящик.

Большинство иллюзионистов того времени выбирали свое имя на манеже так, чтобы оно напоминало арабские, индийские или японские фамилии. Так на свет появлялись бесчисленные Бен-Али, Бен-Мохамеды, Нен-Саибы и т. д. По поводу происхождения псевдонима Кио ходили разные слухи. Некоторые даже утверждали, что Эмиль Теодорович, большой любитель всяких шуток и розыгрышей, составил его из начальных букв фразы «Как интересно обманывать». Эмиль-младший, старший сын Э. Т. Кио, рассказывал, что на гастролях в Киеве отец так расшифровал ему эти три буквы: «Киевский известный обманщик». В Осетии, где он родился, предлагали такое решение: «Колдун из Осетии».

Наиболее правдоподобна версия, по которой крестной матерью начинающего фокусника стала жена Станевского Антонина Бабурина.

Однажды вечером они вместе с мужем и Кио проходили мимо кинотеатра, где на электрической вывеске не светилась буква «Н».

— Ки...о! Кио! Кио! — произнесла вслух А. Бабурина. — Разве это не отличное имя? Как раз то, что вам надо, Эмиль!

Так родился псевдоним, который уже почти три четверти века не сходит с цирковых афиш России и зарубежья.

До 1932 г. Кио поочередно выступал то на эстраде, то в цирке. Но цирковая арена притягивала его, словно магнитом. В этом году руководство Государственного объединения музыки, эстрады, цирка заключило с Кио договор на постоянные выступления в цирках страны. Он выступал не только со своими классическими номерами, ставшими настоящим достижением иллюзионного искусства (например, «Сжигание женщины»), но и с номерами на злободневные политические темы («Омоложение» — атеистический; «Наш ответ интервентам» — посвящен провокации на советско-китайской границе и т. д.).

Уже в самом начале карьеры Кио избрал для себя сценический имидж индийского факира, с которым расстался в дни Великой Отечественной войны. Теперь он стал выступать в строгом черном фрачном костюме, в очках, и от экзотического антуража ничего не осталось.

В конце 40 — начале 50-х гг. в программах Кио появляется принципиально новая, немаловажная деталь — он серьезно разговаривает на манеже, не только сопровождая действия редкими ироническими репликами, но и ведет с партнерами целые диалоги, которые помогали глубже раскрыть содержание иллюзионных сценок. Это было безусловным открытием Кио в иллюзионном искусстве.

Сила актерского воздействия Кио на публику была настолько велика, что многие зрители покидали представление в твердой убежденности могущества иллюзиониста. Сам Э. Кио вспоминал не лишенный юмора эпизод, произошедший с ним в Тбилиси:

«Как-то раз я сел в такси, спеша в цирк к началу представления.

Шофер, улыбнувшись, спросил:

— Товарищ Кио?

— Да.

— Видел вас в цирке... Ловко вы работаете... Почти все разгадал, — сказал он с хитрецой. — Меня не проведешь...

— Пожалуйста, — попросил я серьезно, — никому не рассказывайте о трюках, которые вы «разгадали».

— Хорошо, — подумав, сказал шофер. — А вы за это покажите какой-нибудь необыкновенный трюк тут же, в машине...

— Тут же, в машине? — переспросил я, думая, как бы его разыграть.

— Да, в машине, — подтвердил шофер и даже притормозил.

— Хорошо, — согласился я, доставая из кармана деньги. — Вы видите у меня в руках бумажный рубль?

— Конечно, вижу, — усмехнулся шофер.

— Так вот, я передаю вам этот рубль,

275

а когда мы подъедем к цирку, вы дадите мне сдачи сто рублей! — произнес я повелительно.

Шофер нерешительно взял у меня рубль, переключил скорость, и машина помчалась. Когда мы подъехали к цирку, он, словно завороженный, достал из бумажника сторублевую ассигнацию и передал мне, пожирая меня глазами. Я вышел из машины и обошел ее, чтобы вернуть шоферу деньги через другое окно. Но он вдруг нажал на газ и умчался, видимо боясь, чтоб я не «накрыл» его еще на сотню. Я успел заметить номер машины и позднее, с большим трудом разыскав «догадливого» шофера, вернул ему эти деньги. Однако последствием этого «фокуса» была большая неприятность. По городу прошел слух, что Кио гипнотизирует водителей, выманивая у них по сотне рублей... Едва я приближался к такси, шоферы, узнав меня, мгновенно отъезжали. Они не хотели рисковать своими деньгами...»

В 1958 г. Эмилю Кио было присвоено почетное звание народного артиста РСФСР. Его гастроли шли с неизменным аншлагом не только во всех городах нашей страны, но и в странах Европы, Азии, Африки. Жители Бухареста и Варшавы, Копенгагена и Лондона, Будапешта и Каира часами простаивали в очередях за билетами, чтобы увидеть знаменитого советского иллюзиониста.

В Лондоне Всемирный клуб магии пригласил Кио и его труппу к себе в гости. Им демонстрировали свое искусство лучшие иллюзионисты профессионалы и любители Лондона, Глазго и Манчестера. Но никто не смог превзойти советского артиста: на Доске почета клуба на самой верхней строчке золотыми буквами были вписаны слова: «Кио. СССР». Его фамилия стояла перед Гудини и другими величайшими иллюзионистами мира.

С триумфом прошли гастроли и в Дании. В заключительный день в эпилоге было зачитано постановление Международной ложи артистов варьете и цирка о присуждении Э. Кио золотой медали. После этого известия публика восторженно аплодировала свыше четверти часа, Кио вызывали на арену 20 раз. Датчане говорили: «Так мы не приветствуем даже короля!» Датская пресса писала: «Если вы хотите убедиться, что чудеса существуют, идите на гастроли Кио». Токийские газеты называли его «выдающимся иллюзионистом нашего времени», «загадкой XX века».

Кио получил золотую медаль за номером четыре. До него ее получали итальянский жонглер Энрико Растелли, английский клоун Чарльз Ривельс и воздушный гимнаст Кадона.

Он начал свою карьеру артиста в Киеве и закончил в этом же городе: в декабре 1965 г. Эмиль Теодорович Кио умер.

Вечером в день его похорон на арену цирка вышел Эмиль Кио, старший сын великого иллюзиониста. А на следующий день на арене появился и младший — 21-летний Игорь Кио.

«Первые шаги в своей жизни Игорь, пожалуй, сделал не по паркету квартиры, а по упругому, податливому опилочному ковру манежа, — пишет В. Марьяновский. — Сколько он себя помнит, вокруг — суматошливая, праздничная атмосфера цирка. И три непонятные буквы — «Кио», глядящие на него с уличных афиш, со стен гардеробной отца. Он был несказанно горд своим приобщением к цирковому таинству, горд тем, что выступает вместе с родителями, вместе с теми, кто его окружает. Отец казался ему безграничным повелителем, чудодеем, обладающим властью над людьми и вещами. Становясь старше, Игорь постигал искусство иллюзии, и безотчетная гордость уступала место уважению к мастерству отца, его преданности делу, его целеустремленности».

Сам же Игорь Кио с улыбкой рассказывал: «Моя жизнь в цирке началась, когда мне исполнилось пять лет. Меня нарядили в костюм, который носили лилипуты. Вместе с ними я должен был выйти на арену, просто выйти и все — делать мне ничего не полагалось. И все же я так растерялся, что до последних дней жизни не забуду этого ощущения».

В юности Игорь выступал за команду молодежной школы футболистов и завоевал в чемпионате Москвы первое место по результативности — забил 12 голов.

Первое ответственное испытание на манеже состоялось для него в пятнадцать лет. После одного из выступлений отцу стало плохо. Подозревая инфаркт, его отвезли в больницу.

Рано утром Игорю позвонил режиссер Местечкин:

— Спектакль должен состояться, Игорь. И сегодня же... Что тебе надо, чтобы заменить отца?

— Его разрешение. И чтобы был Арнольд, — почти мгновенно ответил Игорь.

Некоторое время после смерти отца братья работали вместе. Однако они были слишком разными и по характеру, и по темпераменту, и по вкусам. Каждый из них был яркой индивидуальностью, каждый имел право пойти собственным путем. Аттракцион — люди, животные, реквизит — перешел к Игорю. Как старший, Эмиль должен был взять на свои плечи бремя создания номера заново.

Но еще до получения собственного номера с Игорем Кио произошла одна занимательная история, которая в то время вряд ли могла показаться кому-нибудь таковой. В 1962 г. 18-летний Игорь сочетался браком с Галиной Брежневой.

Умный, ловкий и проворный, Игорь Кио, с другой стороны, был несколько взбалмошен. Обладая от рождения своеволием и своенравием, восемнадцатилетний юноша был невыдержан и излишне эмоционален. Самым страшным врагом ему казалась скука, поэтому никому и никогда с ним не было скучно.

В силу своего непостоянства и поверхностности он был весьма ненадежен; легко увлекаясь и так же легко пресыщаясь, он начинал искать другую любовь, новую, свежую, более привлекательную. Это сказалось и на его характере — непостоянном, неустойчивом, способном быстро увлекаться и влюбляться и столь же быстро охладевать к объекту своих чувств.

По своей натуре Кио был человеком, склонным к вечным авантюрам и приключениям. И только легкость и чувство юмора всегда спасали его от отчаяния: он один из тех людей, кто способен посмеяться над собственными незадачами, разочарованиями и печалями.

Уже в юном возрасте Игорь мог быть прекрасным собеседником. Он как никто другой умел говорить и спорить о чем угодно, заключать пари и выигрывать. Он был прирожденным артистом, способным прекрасно себя чувствовать на любых подмостках, потому что владел всякими шутками-прибаутками и эстрадными трюками. (Позже его прекрасная импровизация проявилась в иллюзионных выступлениях.)

О бракосочетании не знал никто. Галина и Игорь расписались, а затем укатили в Сочи, где у Игоря должны были состояться гастроли. Галина же отправила домой загадочное послание, которое не могло не вызвать удивления: «Выхожу замуж, оставьте меня в покое».

Известие о втором цирковом браке дочери привело Л. Брежнева в ярость. По линии МВД и КГБ их быстро отыскали на юге.

«На следующее утро после приезда в холле гостиницы нас уже ждал генерал, — рассказывал об этом сам Игорь Кио. — Он ужасно переживал из-за возможных последствий. А что, если Галина помирится с отцом да и пожалуется ему на сочинскую милицию?!

У нас отобрали документы, Галину под усиленной охраной препроводили в Москву. Через неделю я получил бандероль: в ней оказался мой паспорт с вырванной страницей о регистрации брака и чьей-то размашистой подписью: «Подлежит обмену». На том и закончилась наша девятидневная супружеская эпопея».

На самом деле Кио рассказал не все. На самом деле «девятидневная супружеская эпопея» имела свое продолжение.

Всякий родитель склонен считать, что в проступке, совершенном с участием его ребенка, его чадо ни при чем. Исходя из такой логики, Л. Брежнев, по-видимому, решил, что Галина не виновата, что вся ответственность должна лежать на Кио, «циркаче». В расчет не принималось даже то, что Галина к тому времени была, как говорят в народе, «битая, опытная баба», а Кио — восемнадцатилетний юнец, который только вступал во взрослую жизнь.

Л. Брежнев в то время начинал «входить в силу». Имея о нем свое определенное мнение (нужно сказать, не самое лестное), Н. Хрущев, ни о чем не подозревая, способствовал его возвеличению.

Хотя Н. Хрущеву было уже под семьдесят, он был еще довольно крепок, здоров и решительно настроен на продолжение избранного курса. Но в июне 1961 г. по его вине были провалены венские переговоры с президентом США Дж. Кеннеди (из-за выдвинутых Хрущевым требований уступок по вопросу о Западном Берлине), а 31 августа СССР в одностороннем порядке разорвал договор о моратории на ядерные испытания.

В октябре состоялся XXII съезд партии, принявший новую Программу и Устав КПСС (согласно которым к 1980 г. в СССР должно быть завершено строительство коммунизма), а также специальное постановление «О Мавзолее Владимира Ильича Ленина» (после которого из Мавзолея было вынесено тело Сталина и перезахоронено у Кремлевской стены).

Л. Брежнев произнес на съезде большую речь. В ней он не только восхвалял деятельность «выдающегося государственного и партийного деятеля нашей современности — Никиты Сергеевича Хрущева, верного ленинца, последовательно и творчески развивающего великое учение марксизма-ленинизма», но и в одной-двух фразах осудил деятельность «антипартийной, фракционной группы Молотова, Маленкова, Кагановича, Ворошилова, Булганина, Первухина, Сабурова и примкнувшего к ним Шепилова».

Но вопреки оптимистическим заявлениям на съезде, реальное положение в стране ухудшалось: темпы экономического развития замедлялись, новые реорганизации вели к недовольству партийно-государственной бюрократии. Популярность Н. Хрущева стала падать. (В следующем, 1962 г. 1 июня начались волнения в Новочеркасске, вызванные перебоями в снабжении продуктами и их подорожанием. По приказу Хрущева волнения были подавлены войсками и КГБ, что тоже не прибавило ему популярности.)

Осложнились взаимоотношения Хрущева с Ф. Козловым, который занимал пост секретаря ЦК КПСС и являлся вторым лицом в руководстве. Политические и личные осложнения довели его до инсульта. (В 1965 г. Фрол Козлов умер.)

Н. Хрущев не видел в своем окружении человека, способного заменить Ф. Козлова, и он не без колебаний остановил свой выбор на Л. Брежневе, который по совместительству еще год продолжал оставаться Председателем Президиума Верховного Совета.

Сам Л. Брежнев болезненно воспринял свое возвышение и был недоволен решением Н. Хрущева. Он остался номинальным главой государства, а теперь стал еще и секретарем ЦК КПСС. Его окружали преданные верные помощники, впоследствии составившие костяк брежневского «партийно-правительственного клана». Главным помощником Л. Брежнева был Г. Цуканов; на работу в Президиум Верховного Совета был переведен К. Черненко, ставший начальником канцелярии Президиума (когда через несколько лет пост Председателя Президиума занял А. Микоян, между ними сразу возник конфликт, и Черненко ушел в помощники к Брежневу в аппарат ЦК КПСС); А. Александров-Агентов, германист-международник, которого позднее западная пресса называла «советским Киссинджером», стал его референтом.

«За границу Брежнева возил чаще других экипаж во главе с командиром корабля Б. П. Бугаевым, — пишет Р. Медведев. — Один из этих полетов едва не закончился трагически. В феврале 1961 года Брежнев летел во главе советской делегации в Гану и Гвинею. В это время еще шла жестокая война в Алжире... Севернее Алжира самолет был перехвачен двумя истребителями французских ВВС. Один из истребителей дважды обстрелял «Ил-18», но Бугаеву удалось вывести свой воздушный корабль из зоны обстрела. Именно Б. П. Бугаев стал впоследствии министром гражданской авиации СССР».

На фоне таких вот политических событий в стране и мире развивался роман Игоря Кио и Галины Брежневой. Чтобы прекратить скандальную связь и оградить дочь от юного «циркача», а заодно и вообще покончить с цирковыми эпопеями, Л. Брежнев употребил не свою отцовскую власть, а свои должностные связи. Компетентные органы тут же взялись за Кио. Не найдя на него серьезного «компромата», органы зацепились за «белый» билет. Было решено призвать парня в армию.

Но случилась промашка: Кио имел на руках, как оказалось, не липовый, а настоящий «белый» билет. Он страдал хроническим лимфоденитом — заболеванием, которое исключало прохождение срочной армейской службы. Чтобы поставить «адекватный диагноз», по распоряжению из ЦК был созван специальный врачебный консилиум. На медосмотр Игоря Кио сопровождала целая группа чекистов. Несмотря на все старания, доктора, к своей чести, подтвердили прежний диагноз. Игоря Кио пришлось оставить в покое.

Женитьба была аннулирована как незаконная. Но власть предержащие все же нашли, на ком отыграться: заведующая ЗАГСом, в котором был зарегистрирован брак между Галиной Брежневой и Игорем Кио, была снята со своей должности и в судебном порядке была наказана за нарушение закона о браке и семье.

После авантюрного приключения дочери со вторым браком Л. Брежнев попытался держать свое неразумное чадо, которому к тому времени исполнилось тридцать три года, в еще большей строгости.

Своей отдельной квартиры у Галины Брежневой в Москве тогда еще не было. Ее устроили на работу в Агентство печати «Новости», и отец требовал от дочери держаться в рамках скромной должности редактора.

(В 50-е гг., вскоре после окончания Кишиневского университета, Галина Брежнева защитила кандидатскую диссертацию. В годы работы в АПН, пользуясь всеми необходимыми консультациями и рекомендациями, она смогла защитить докторскую диссертацию и стать доктором филологических наук.)

Видимо, между нею и родителями состоялся весьма серьезный разговор, потому что на этот раз Галина подчинилась. Она не слишком утруждала себя редактированием, но, по крайней мере на работе, стала вести себя скромнее. Один из ее тогдашних коллег по АПН вспоминал:

«Еще в начале 60-х годов Галина Брежнева начала работать в АПН редактором Главной редакции союзной информации о событиях в СССР. Работа заключалась в основном в вырезании из газет и наклеивании вырезок. Так как в подчинении у нее были два молодых парня, да и работы было в общем-то на одного человека, Г. Брежнева могла, не ударяя палец о палец, спокойно проводить время. Однако она приезжала в редакцию ровно в девять утра, а уезжала на приходящей за ней машине в восемнадцать часов вечера. Это не было подвигом во имя дисциплины — редакция в течение дня занималась и любыми своими делами, режим был совершенно свободный. Так что Г. Брежнева успевала съездить в ГУМ, да и в любое другое место. По свидетельству людей, работавших в ее отделе, она больше всего занималась организацией редакционных застолий, хотя сама практически не пила — разве что пригубит немного сухого вина. Никто из присутствующих не ощущал тени ее отца. Пьянки устраивались вскладчину (впрочем, были случаи, когда Галина «угощала» безденежных коллег). Мужчины редакции отмечали ее слабость к крупным брюнетам. Но говорить об особой распущенности не было повода, так как в редакции она была в этом смысле далеко не исключением. Иногда обедали в ресторане «Узбекистан». Воспоминания о ней у коллег остались самыми теплыми. Никто не называл ее заносчивой и своевольной... Ушла она из АПН в 1968 году. Несмотря на прежнюю теплоту, все связи с коллективом она оборвала сразу».

В это же время ее отец, как было отмечено выше, занял пост секретаря ЦК КПСС и стал вторым человеком в руководстве страны.

Л. Брежнев не стремился к этой роли. Он был удовлетворен тем положением, которое занимал на посту Председателя Президиума Верховного Совета: представительская работа, постоянные приемы, частые поездки за границу, мишура и блеск. Западная печать выделяла его из числа высших советских руководителей главным образом за его хорошо сшитые костюмы. «Шпигель» однажды даже назвал Л. Брежнева «самым элегантным из советских руководителей». Теперь же ему предстояло погрузиться в весьма трудную работу и заняться «разгребанием грязи» и разбором различных конфликтов.

В это же время в высших кругах ЦК КПСС начинала зреть мысль о смещении Н. Хрущева с высшего поста. Тогда еще Брежнева и близко не было в группе тайных недоброжелателей Хрущева. Возглавили оппозиционную группу М. Суслов и А. Шелепин. Не менее важную роль играли здесь Н. Игнатов и В. Семичастный. Заручились заговорщики и согласием министра обороны Р. Малиновского. Ни Л. Брежнев, ни А. Косыгин в заговоре не участвовали, но они не могли о нем не знать.

Трудно предположить, что заговорщики, обсуждая вопрос о смещении Хрущева, не оговаривали кандидатуру преемника. У них не было сомнений по поводу того, что новым Председателем Совета Министров должен стать А. Косыгин. О кандидате на пост Первого секретаря ЦК КПСС тоже вряд ли велись какие-то бурные споры: никто из членов Президиума на момент заговора не пользовался такой поддержкой и доверием аппарата, как Брежнев. Бурный спор по поводу кандидатуры мог лишь внести раскол в оппозицию, наделать шума и поставить под угрозу срыва всю затею заговора. Кроме того, именно у Брежнева, как мы отмечали выше, имелись самые обширные связи как в регионах, так и в аппарате ЦК и высших военных кругах.

В своих предыдущих книгах я неоднократно упоминала октябрьский 1964 г. Пленум ЦК КПСС. Здесь же хочу только добавить, что Брежнев непосредственно приобщился к перевороту 12 октября 1964 г. Ради этого он прервал свой визит в ГДР, а утром 13 октября позвонил Хрущеву, отдыхавшему на юге, попросил его вернуться в Москву для участия в Пленуме ЦК КПСС.

В книге «Серые кардиналы Кремля» я подробно останавливалась на этом эпизоде нашей истории. Оказавшись в меньшинстве (против намеченных перемен возражали только двое — сам Хрущев и А. Микоян), в ночь с 13 на 14 октября Хрущев подчинился группе из 22-х человек. На следующий день после короткого доклада М. Суслова Пленум ЦК КПСС освободил Н. Хрущева от всех занимаемых партийных и государственных постов «в связи с преклонным возрастом и состоянием здоровья».

Изменения в составе высших органов власти оказались незначительными. Был освобожден от обязанностей секретаря ЦК В. Поляков, отвечавший за сельское хозяйство. Членами Президиума ЦК через месяц после

Пленума стали А. Шелепин, П. Шелест и К. Мазуров, первый секретарь ЦК КП Белоруссии. Кандидатом в члены Президиума ЦК стал Д. Устинов.

Первым секретарем ЦК КПСС единогласно был избран Л. И. Брежнев. Так началась эпоха, длившаяся 18 лет и впоследствии названная *брежневщиной*. Никто из заговорщиков в тот момент не предполагал, что Л. Брежнев пробудет у власти так долго и превратится в некоронованного императора Советской империи.

Первым симптомом приближения «застоя» стал арест писателей А. Синявского и Ю. Даниэля за издание произведений на Западе. В феврале 1966 г. их осудили за «агитацию и пропаганду с целью подрыва Советской власти».

«Я ЖИЛА ПРИ КОММУНИЗМЕ»

> *Под влиянием мещанства все переменилось. Рыцарская честь заменилась бухгалтерской честностью, изящные нравы — нравами чинными, вежливость — чопорностью, гордость — обидчивостью.*
>
> А. И. Герцен

> *Мещане-собственники — люди прозаически-положительные. Их любимое правило: всякий у себя и для себя. Они хотят быть правы по закону гражданскому и не хотят слышать о законах человечества и нравственности.*
>
> В. Г. Белинский

> *Пьют и курят не от скуки, не для веселья, и не потому, что приятно, а для того, чтобы заглушить в себе совесть.*
>
> Л. Н. Толстой

Во времена так называемого застоя процесс «гниения рыбы с головы» перекинулся на остальную часть «тела» и начал уничтожать весь «организм» — огромную страну от Буга до Курил, которая предалась семи смертным грехам. И наиболее очевидным это становится, когда знакомишься с биографией Г. Брежневой.

«Застой на рубеже 70-х — 80-х годов не свалился с неба, — сказал в одном из своих интервью писатель А. Рыбаков. — Это продолжение той психологической обстановки, которая сложилась именно в тридцатые годы, когда людей отучали самостоятельно мыслить (за всех думал один человек), лишали инициативы. Чувства собственного достоинства. То есть всего того, без чего невозможен ни духовный, ни социальный, ни экономический прогресс. И что мы сейчас с таким трудом стараемся возродить».

Десяти послесталинских лет оказалось недостаточно, чтобы изжить из сознания людей поклонение перед кровожадным кумиром, перед символами власти. Но в эпоху застоя они оказались слабыми. А ведь «слабому богу искренно никто не поклоняется, мысленно его презирают». Обстановка поклонения стала наносной, граничащей с пародией. Всенародное обсуждение, инсценировка и экранизация «Малой земли», «Возрождения», «Целины» не могли не вызывать комической реакции и скрытого хохота, который прорывался в бесчисленное множество анекдотов и частушек — уникального феномена советского городского фольклора.

Некогда историк-демократ В. Ключевский написал: «...Россия управлялась не аристократией и не демократией, а *бюрократией* (выделено мной. — *В. К.*), то есть действовавшей вне общества и лишенной всякого социального облика кучей физических лиц разнообразного происхождения, объединенных только чинопроизводством. Таким образом, демократизация управления сопровождалась усилением социального неравенства и дробности».

В. Ключевский писал это в эпоху Николая I, но как это подходит к нашей недавней и, более того, нашей современной жизни. Вот почему я всегда писала и пишу о том, что для любого общества, даже настроенного предельно революционистски, его собственная национальная история не может пройти бесследно. И хорошее, и дурное из давних вековых традиций предков наследуется потомками. Оно заложено у них в крови.

Тот же В. Ключевский отмечал, что Петр I больше привык обращаться с вещами, с рабочими орудиями, чем с людьми. А потому и «с людьми обращался, как с рабочими орудиями». Именно при нем возникла табель о рангах, которую народ осмыслил по-своему: «всяк сверчок знай свой шесток».

Что касается эпохи «застоя», то она существовала совершенно в духе К. Маркса, который писал:

«Величайший порок — лицемерие неотделим от подлинной гласности, из-за этого ее коренного порока проистекают все остальные ее недостатки, в которых нет и зародыша добродетели... Правительство слышит только *свой собственный голос*, оно знает, что слышит только свой собственный голос, и тем не менее оно поддерживает в себе самообман, будто слышит голос народа, и требует также и от народа, чтобы он поддерживал этот самообман. Народ же, со своей стороны, либо впадает отчасти в политическое суеверие, отчасти в политическое неверие, либо, совершенно отвернувшись от государственной жизни, превращается в толпу людей, живущих только частной жизнью».

Отвечая на вопрос, каковы основные грани феномена извращенного сознания человека брежневской эпохи, М. Капустин пишет:

«Во-первых, это превращение **истины в ложь**, добра в зло **и обратно** («негативная диалектика» брежневского общества); это переход в состояние морального социально-психологического ступора, в коем общество не имеет самосознания, отдающего себе отчет в том, что живет «во грехе».

Во-вторых, это превращение **мысли в видимость** таковой, овладение техникой современной схоластики, которая учит говорить так, чтобы ничего не сказать. Отсюда необходимость борьбы за **экологию мысли**.

В-третьих, это превращение духовных ценностей в материальные и обратно, **замена идеи вещью** (вещизм). Массовая культура (масскульт); обратное, так сказать, антигоголевское превращение «перла создания» — в «шельму», а золотых россыпей души и мысли — в сверкание золотых вещей и ювелирных изделий.

В-четвертых, человек сам себя раздваивает: одна его часть (в лучшем случае, впитывая общечеловеческие ценности, культуру) развивается по-человечески, но ни в чем не реализует себя («кипенье в действии в пустом», подобно «лишним людям» XIX в.). Однако в отличие от ТЕХ «лишних людей» — помещиков, у коих «прожиточный минимум» был заранее обеспечен, НАШИ «лишние» должны еще добыть кусок хлеба, посему они вынуждены были **закрывать глаза** на истинные ценности, культуру и человечность и — соответственно — на **человека в себе,** чтобы существовать. «Хочешь жить — умей вертеться» — этому учили своих родителей-интеллигентов их более разбитые детки-школьники, принося им с улицы рецепты «легкой жизни». Раздвоенное сознание интеллигента вынуждено было — чтобы выжить — примириться со всеми «чудесами» всеобщего МЕТАМОРФОЗА, предвиденного Кафкой и мрачно-иронической фантазией Булгакова».

«Л. И. Брежнев отличался хорошими организаторскими способностями, до определенной поры был энергичен, активен, но в то же время ценил и берег кадры, — пишет М. Докучаев. — После заседания Политбюро, на котором его избрали Генеральным секретарем ЦК КПСС, он ехал в машине вместе с А. Н. Косыгиным... Леонид Ильич тогда говорил Косыгину, что главная задача на данном этапе деятельности ЦК партии и Советского правительства — *обеспечить спокойную жизнь для советских людей.* Он сказал, что «при Сталине люди боялись репрессий, при Хрущеве — реорганизаций и перестановок. Народ был не уверен в завтрашнем дне. Поэтому, — заключил Леонид Ильич, — советский народ должен получить в дальнейшем спокойную жизнь для плодотворной работы».

Если подобное высказывание в действительности имело место, то, мне кажется, Л. Брежнев высказывал не столько свою мысль, сколько желание и настроение партийного и государственного аппарата. Эта многочисленная армия не хотела иметь сильного лидера. Они мечтали о спокойной жизни, спокойной работе, стабильности в материальном положении и уверенности в завтрашнем дне. Того, о чем ностальгически мечтает сегодня большинство россиян.

Но и в окружении самого Брежнева, среди основного состава ЦК партии, не желали иметь новых крепких руководителей типа Шелепина, о котором Микоян однажды сказал, что «этот молодой человек может принести очень много хлопот». Советскую партийно-бюрократическую элиту не устраивали и догматики типа Суслова. В общем, всех устраивал именно слабый, доброжелательный и отзывчивый руководитель, не обладающий ни сильной волей, ни ярко выраженным интеллектом. Вот почему их устраивал Л. И. Брежнев.

Выражая волю партийно-бюрократической элиты и оказывая ей поддержку, он постепенно вывел из состава Политбюро всех, кто подозревался в политических амбициях. Со временем с первых ролей в партии и государстве были выведены А. Шелепин, Г. Воронов, К. Мазуров, П. Шелест, Д. Полянский.

Брежнев последовательно начал осуществлять заявленный принцип руководства страной. Когда в октябре 1966 г. в Андижане, Фергане, Ташкенте, Чирчике, Самарканде, Коканде, Янгикургане, Учкудуке в связи с 45-летием создания Крымской АССР прошли митинги крымских татар, разогнанные милицией и солдатами, спустя год на свет появился Указ Президиума Верховного Совета СССР об отмене решений 1944 г., которые содержали огульные обвинения в отношении граждан татарской национальности. Указ также предусматривал помощь и содействие районам с татарским населением.

Брежнев не хотел, а больше всего — боялся войти в историю кровавыми расправами. Нервное напряжение по таким поводам, как описанный, у него порой достигало такого накала, что он не мог уснуть, не приняв изрядную долю снотворного. Всем своим существом он желал не допустить таких происшествий, как вышеописанное, или таких, какое произошло при Хрущеве в Новочеркасске.

Но Л. Брежнев уже не был простым человеком. Как это ни прискорбно, он превратился в часть Системы, в один из ее механизмов. Он боялся нарастания диссидентского движения, конфронтации с интеллигенцией, двести представителей которой подписали письмо в защиту Синявского и Даниэля. Потому в стране принимались решительные меры по пресечению свободомыслия. В сентябре 1966 г. в УК СССР появились статьи 190-1, 190-3, предусматривавшие наказание за «систематическое распространение в устной форме заведомо ложных измышлений, порочащих советский государственный и общественный строй», «активное участие в групповых действиях, грубо нарушающих общественный порядок».

Когда за границей была издана так называемая Белая книга (собрание документальных материалов, связанных с судом над Синявским и Даниэлем), в 1967 г. статьи 190-1 и 190-3 заработали. Были арестованы А. Гинзбург, Ю. Галансков, В. Буковский, И. Габай, В. Хаустов и многие другие. Судебные процессы прошли и на Украине. Судили В. Черновила, львовского журналиста, который протестовал против судебных процессов 1965—1966 гг. над так называемыми украинскими националистами. (Впоследствии В. Черновил стал лидером «Народного руху», депутатом украинского парламента; погиб в автокатастрофе в марте 1999 г.)

Л. Брежнев стремился «убаюкать» народ, дать ему как можно больше праздников (в 1964 г. было принято решение установить 9 мая в качестве государственного праздника Дня Победы; в 1967 г. постановлением ЦК КПСС, СМ СССР и ВЦСПС было принято решение о переводе рабочих и служащих предприятий, учреждений и организаций на 5-дневную рабочую неделю с двумя выходными днями).

Большая страна погружалась в длительный летаргический сон. Редкие голоса протеста не были услышаны. (В апреле 1968 г. начал издаваться диссидентский журнал «Хроника текущих событий», а в октябре состоялся судебный процесс над участниками акции протеста против ввода войск Варшавского Договора в Чехословакию; в 1969 г. за свои произведения из Союза писателей СССР был исключен А. Солженицын; в эти же годы начинается правозащитная деятельность академика А. Сахарова.)

Так создавалась иллюзия спокойной жизни советских тружеников.

Не стала исключением и Галина Брежнева. После многих лет неопределенности, авантюрных приключений она наконец обрела семейную жизнь, которую вряд ли можно назвать спокойной, но которая удовлетворила и порадовала ее отца. В 1968 г. она познакомилась с подполковником милиции Ю. Чурбановым.

«Как мы познакомились? — вспоминала позднее сама Галина Брежнева. — Ну, моим первым-то мужем был Милаев, народный артист Советского Союза, Герой Соцтруда... Но он сыграл в ящик — уже там спит. Потом был Игорь Кио. Ему было восемнадцать лет, а я на восемнадцать лет старше... Все эти свидетели брачные... Я была законной его женой. То есть о вкусах не спорят... Как познакомилась с Чурбановым, я расскажу.

Значит, так. Рулю я с приятелем в Дом архитектора, здесь рядом, поужинать. Ну, мы сидим. И Юрий Михалыч там. И вдруг этот подонок, Игорь Щелоков, ну, сын Щелокова, говорит: иди сюда, дескать, сейчас я вас познакомлю. И нас поженили. А потом Игорь с Нонкой поженились. Она бросила Мишку Гарта, моего приятеля. Они его засадили, Мишка десять лет отсидел. Ничего — он сейчас в Нью-Йорке».

Нелегким был путь этого человека к высокому социальному статусу. Юрий Чурбанов родился в 1936 г. в Москве. Он был первенцем в семье секретаря райкома партии. После школы отправился на авиационный завод познавать азы пролетарской науки. Но в качестве механика пробыл недолго, стал секретарем комсомольской организации — сначала первичной, а затем цеховой.

Знакомые младшего брата Юрия, Игоря, и младшей сестры Светланы много лет спустя говорили, что из дома всех троих детей выпроваживала бдительная опека их матери, Марии Петровны. Мать с полным правом распоряжалась как судьбами детей, так и карьерой мужа. Бывшие приятели Игоря рассказывали с его слов, что и позже мать нередко вмешивалась в семейную жизнь своих детей и, таким образом, развела сыновей с женами.

Закончив техникум, Ю. Чурбанов стал вскоре работать инструктором Ленинградского райкома комсомола столицы, потом — инструктором МГК комсомола. В 1961 г. он был призван на армейскую службу, которую проходил в войсках МВД. Здесь он тоже не терял времени даром и «зарабатывал очки» в пользу своей комсомольской, а значит, будущей профессиональной карьеры.

Одно время он был инструктором политотдела мест заключения МВД РСФСР, а затем — помощником начальника политотдела мест заключения УВД Мособлисполкома по работе среди комсомольцев и молодежи.

Уволившись в запас в августе 1964 г., Ю. Чурбанов был направлен на работу в ЦК

ВЛКСМ сначала на должность инструктора, а затем заведующего сектором отдела агитации и пропаганды. Параллельно он изучал науку всех наук — философию, заочно заканчивая философский факультет МГУ.

Одновременно с этим Чурбанов обзавелся семьей. Закончив учебу на философском отделении, он «расторг брак с Чурбановой Т. В., от которой имел сына 1963 года рождения».

«С Юрием Чурбановым я жил в одном доме, — вспоминал Е. Додолев. — Пятиэтажная «хрущоба» на 2-й Новоостанкинской улице. Около ее подъездов проводили свои «брифинги» пытливые дамы пенсионного возраста, знавшие о жителях дома всю подноготную. Про эффектного и статного брюнета из третьего подъезда говорили вообще дежурно: бросил, мол, жену с ребенком, как и подобает холостому красавчику, погуливает. Короче, банальные разговоры. Без криминального привкуса будущих скандалов».

Тот, кто читал повесть Ю. Полякова «“ЧП” районного масштаба», наверняка знает, насколько развеселой была в то время работа в комсомоле. Репутация среди коллег у Ю. Чурбанова была самой превосходной. Товарищеский, старательный, надежный.

Компанейский парень, Юрий Чурбанов быстро и очень близко сошелся со своим коллегой по комсомольской работе Игорем Щелоковым. Как явствует из интервью самой Галины, именно сын тогдашнего министра внутренних дел и познакомил их в ресторане Центрального Дома архитекторов. Это знакомство стало для Ю. Чурбанова трамплином для головокружительной карьеры.

Чурбанов очень понравился семье Галины, особенно ее отцу, который устал от цирковых и театральных увлечений своенравной и капризной дочери. В глазах Л. Брежнева новый избранник дочери выгодно отличался от своих «несерьезных» предшественников Е. Милаева, И. Кио и М. Лиепы. Ю. Чурбанов одним своим видом гренадера, казалось, был создан для почетных званий и высоких орденов. Статная фигура темноокого жениха с идеальным пробором словно бы говорила: эти широкие плечи созданы не иначе как для генеральских погон.

В 1970 г. Ю. Чурбанов назначается заместителем начальника ГУИТУ МВД СССР с присвоением звания «полковник внутренней службы», а в апреле 1971 г. 42-летняя Галина Брежнева и 36-летний Юрий Чурбанов сочетались законным браком. Для нее это было третьим посещением ЗАГСа, для него — вторым. Свадебным подарком для «кремлевского зятя» стала новая должность — заместителя начальника Политуправления внутренних войск МВД СССР и досрочное присвоение воинского звания «полковник» за месяц до свадьбы, в марте того же года.

Были и другие свадебные подарки, и не только от тестя, но и от огромного количества высокопоставленных приглашенных. Сам Л. Брежнев подарил зятю новенький автомобиль «Шкода-1000», который, как утверждают некоторые современники, в тот же день оказался в одной из московских «комиссионок».

Но уже через две недели в гараже Ю. Чурбанова стоял новенький «Рено-16» с мощным мотором. Л. Брежневу, страстному коллекционеру иномарок, этот автомобиль от имени французского народа подарил президент Франции Ж. Помпиду.

Л. Брежнев и в самом деле любил нового зятя и не мог на него нарадоваться. Он был доволен тем, что дочь оказалась наконец в крепких мужских руках. Не убоявшись разного рода кривотолков и упреков (если таковые вообще могли возникнуть в то время), он помогал его активному продвижению по карьерной лестнице.

В 1972 г. Чурбанову было присвоено звание «заслуженный работник МВД СССР». В ноябре 1973 г. он становится генерал-майором, а с 1975 по 1977 г. — заместителем начальника Главного управления — начальником Политуправления внутренних войск. В ноябре 1977 г., в 60-летний юбилей чекистов, Ю. Чурбанову присваивается очередное звание «генерал-лейтенант». Тогда же Л. Брежнев приставил своего зятя к своему ближайшему соратнику и другу Н. Щелокову в качестве первого заместителя министра внутренних дел СССР.

По воспоминаниям родственников, Чурбанов придирчиво пересчитывал блестящие «знаки отличия» на своей широкой груди, главным образом потому, что задумал соревноваться в их получении со своим тезкой — младшим братом своей супруги. Юрий Брежнев работал заместителем министра внешней торговли, перед тем два года являясь старшим инженером и начальником отдела Торговой Миссии СССР в Швеции, а с 1970 г. он был Председателем Всесоюзного объединенного министерства Внешней торговли.

Ю. Чурбанов недолго считался «темной лошадкой» в МВД. Скоро стала очевидной его улыбчивая нахрапистость и злопамятная несдержанность. Где не ударить фронтально, там ведется атака с флангов — так действовал новый заместитель министра МВД. Он относился к тому типу людей, у которых душа с двойным дном и множеством секретных отделений, о которых никто из близких и знакомых даже не подозревает. Он был одарен сильнейшим стремлением претворять свои цели в жизнь, свои идеи и планы — в практические дела и реальные вещи.

Своевольный, упрямый и строптивый, ревнивый и мстительный, Ю. Чурбанов был человеком целеустремленным. Несмотря на многочисленных конкурентов, он не знал и не хотел знать поражений. В своем стремлении он был готов смять любого, кто станет поперек на его жизненном пути.

Была ли довольна сама Галина Брежнева новым избранником? В последние годы жизни она отзывалась о нем с неизменным почтением и... разочарованием. У этого брачного союза был фон чересчур темного колорита. Разительное несходство, противоречия в характере и нравах, взглядах и мнениях, убеждениях и мировоззрении обрекали Галину Брежневу и Юрия Чурбанова на несчастливый брак. У супругов слишком сильно были развиты чувства гордости и собственного достоинства, случайное ранение или унижение которых приводило к вспышкам слепой ярости и гнева. Как с ее, так и с его стороны.

Буквально с первого дня совместной жизни Галина Брежнева почувствовала, что с таким человеком, каким был Чурбанов, шутки плохи. Чрезмерно серьезный, он был способен прибегать к откровенному психологическому давлению. Она увидела в нем безжалостного завоевателя, собственника, который прибирает к рукам и присваивает все, что может.

Разочарованная супружеской жизнью, Галина нашла отдушину в богемном образе времяпрепровождения. Главным из ее фаворитов в середине 70-х гг. становится Борис Буряце.

Он родился в 1946 г. в Малоекатериненской (в Запорожье) в цыганской семье. После окончания ГИТИСа некоторое время был певцомтенором театра «Ромэн». Будучи завсегдатаем шикарных московских ресторанов и кабаков, он превратился в известного советского плейбоя 60—70-х гг. Один из артистов, который хорошо знал Буряце лично, рассказывал о нем:

«Я видел в первый раз Галину Брежневу в 1977 году, летом, в доме творчества Театрального общества (ВТО) в Мисхоре в Крыму. Она приезжала туда с дачи отца к своему любовнику Борису Буряце, цыгану. Ему было тогда 29 лет, и он закончил отделение музыкальной комедии Института театральных искусств. У него был неплохой голос, но весьма слабые актерские данные. Это был красивый брюнет с серо-зелеными глазами, довольно полный для своего возраста. У него были весьма изысканные манеры и утонченные вкусы — в еде, одежде, музыке. Носил он джинсы, джинсовую рубашку на молнии, остроносые сапоги на каблуках и иногда черную широкополую шляпу. На безымянном пальце сверкал перстень с огромным бриллиантом, на шее — толстая крученая золотая цепь, которую он не снимал, даже купаясь в море. Он появлялся на пляже в махровом халате. Иногда он читал, но чаще играл в карты с несколькими знакомыми и с младшим братом Михаилом, которому было 25 лет. Борис жил в двухкомнатном номере-люкс с отдельным душем, телевизором, холодильником. Питался он не в столовой, а дома — с неразлучными друзьями. На столе обычно стояла черная икра в больших жестяных банках, мясо (шашлыки готовились тут же на пляже), подавались только что испеченный хлеб, язык, виноград, шампанское и водка. Все эти недоступные рядовому отдыхающему деликатесы в неограниченном количестве поставлялись ему Галиной Брежневой-Чурбановой, которая приезжала изредка с шофером Валерой на белой «Волге». Приезжать ей, видимо, было сложно, и она была вынуждена хитрить, так как отец старался всячески блюсти честь дочери, уже ставшей к тому времени бабушкой.

Галина к этому времени стала грузной, высокой женщиной, которую при всем желании нельзя было назвать красивой. У нее были грубые, крупные черты лица, очень напоминающие отцовские, темные волосы, забранные в пучок, и темные, густые брови. На пляж она

305

выходила в длинном до полу шелковом халате. В свою речь Галина часто вставляла матерные слова.

Отношения Галины и Бориса были странными. По его словам, их связь началась, когда ему не было еще и 20 лет. Вряд ли он любил эту женщину. Но Галина, казалось, была влюблена в своего цыгана, причем страсть ее была властной, изнуряющей и утомительной. Она ревновала Бориса, устраивала ему сцены — зачастую только из-за того, что он ушел куда-то, не предупредив ее, вместо того, чтобы целый день ждать звонка. О женитьбе Бориса на какой-либо из своих знакомых не могло быть и речи — он был обречен на роль вечного любовника стареющей и своевольной «мадам». «Мадам» — так называл Галину брат Бориса — Михаил.

Это был высокий и удивительно красивый парень с несколько грубоватым лицом, кареглазый и темноволосый, очень похожий на актеров, играющих в Голливуде роли добрых индейцев. Он был не особенно умен и не слишком развит, но это был добрый парень, страшно скучавший в номере-люкс Дома творчества ВТО и желавший лишь послушать музыку, подцепить на пляже какую-либо девчонку, а когда становилось совсем невмоготу, просто напиться дармовой водки, ящиками стоявшей в комнате. Напившись, он мрачнел и позволял себе презрительно отзываться по поводу «мадам», которую явно ненавидел.

Борис был гораздо более умным и изощренным человеком. Он был скрытен и хитер, тактичен и вежлив. Пил только шампанское и умел держать себя в руках. Галина была крайне раздражительна, так что, напротив, Борису нужна была сдержанность. Своего 40-летнего мужа-генерала Галина презирала и могла закатить истерику только потому, что Борис напоминал ей, что пора уезжать, дабы не огорчать папу и маму. Галина называла родителей «двумя одуванчиками», что не мешало ей восхищаться их преданностью друг другу и взаимной заботой. Иногда она говорила об отце, который, несмотря на возраст и болезни, каждый день купался в Черном море: «О нем много болтают, но все-таки он борется за мир»; «он искренне хочет мира». Напившись, она заявляла: «Я люблю искусство, а мой муж — генерал».

Проблема пьянства и алкоголизма, известная с незапамятных времен, стала поистине угрожающей в эпоху «брежневщины». Обещая привести страну к коммунизму, Леонид Ильич сделал доступными для широких трудящихся масс по крайней мере два вида товаров: хлеб и водку.

В массовом употреблении водка стала простейшим средством «забыться», уйти от реальных проблем и ненавистной жизни, временно пожить иной, пусть и иллюзорной, приятной жизнью. Брежнев хотел дать народу праздники, и он их дал.

Но те ли это были праздники? Хотел ли их народ?

«Все говорят: Кремль, Кремль. Ото всех я слышал про него, а сам ни разу не видел.

Сколько раз уже (тысячу раз), напившись или с похмелюги, проходил с севера на юг, с запада на восток, из конца в конец, насквозь и как попало — и ни разу не видел Кремля.

Вот и вчера опять не видел, — а ведь целый вечер крутился вокруг тех мест, и не так чтоб очень пьян был: я, как только вышел на Савеловском, выпил для начала стакан зубровки, потому что по опыту знаю, что в качестве утреннего декокта люди ничего лучшего еще не придумали.

Так. Стакан зубровки. А потом — на Каляевской — другой стакан, только уже не зубровки, а кориандровой. Один мой знакомый говорил, что кориандровая действует на человека антигуманно, то есть, укрепляя все члены, расслабляет душу. Со мной почему-то случилось наоборот, то есть душа в высшей степени окрепла, а члены ослабели, но я согласен, что и это антигуманно. Поэтому там же, на Каляевской, я добавил еще две кружки жигулевского пива и из горлышка альб-де-десерт.

Вы, конечно, спросите: а дальше, Веничка, а дальше — что ты пил? Да я и сам путем не знаю, что я пил. Помню — это я отчетливо помню — на улице Чехова я выпил два стакана охотничьей. Но ведь не мог же я пересечь Садовое кольцо, ничего не выпив? Не мог. Значит, я еще что-то пил».

Читатель наверняка догадался, откуда взят цитируемый отрывок. Да, правильно, из теперь уже широко известной поэмы В. Ерофеева «Москва — Петушки». Написанная в 1969 г., она стала не только изображением жизненных реалий развитого социализма, но и отражением глубинного настроения человеческой души в тот период.

Если честно, то нельзя утверждать категорично, что с Брежнева в России начался повальный алкоголизм.

Начавшись с незапамятных времен, алкоголизм только набирал темпы. С приходом к власти большевиков ситуация не изменилась. И вот вам характерный пример. Чтобы изыскать дополнительные средства на развитие тяжелой индустрии, сталинское руководство пошло на размещение новых больших займов среди населения и на **резкое расширение продажи водки**. Незадолго до этого Сталин заверял, что алкоголь, с помощью которого царская Россия имела полумиллиардный доход, не будет в Советской России иметь распространение. Но позже диктатор изменил свою точку зрения: наивно, мол, думать, будто социализм можно построить в белых перчатках. В сентябре 1930 г. он прямо написал Молотову: «Нужно, по-моему, увеличить (**елико возможно**) производство водки. Нужно отбросить ложный стыд и прямо, открыто пойти на **максимальное** увеличение производства водки». Что и было выполнено беспрекословно.

«Когда начала надвигаться война, Сталин стал совершенно другим, — читаем в воспоминаниях Н. Хрущева. — Раньше за обедом водка и вина ставились на стол и давались участвующим в обеде: можешь себе налить, можешь и не наливать. Никакого понукания и принуждения не было... перед войной Сталин стал как бы мрачнее. На его лице было больше задумчивости, он больше сам стал пить и спаивать других. Буквально спаивать!.. [...] Обеды стали противными, подрывали здоровье, лишали человека ясности ума и вызывали болезненное состояние головы и всего организма».

Грандиозные пьянки, если судить по воспоминаниям того же Хрущева, не прекратились в сталинском окружении и после войны.

В своей книге воспоминаний Г. Вишневская рассказала о своем отце, большевике с дореволюционным стажем, который принимал участие в подавлении Кронштадтского мятежа, а потом стал спиваться: совесть мучила его за то, что стрелял в своих же братьев-солдат.

«...Ежов к тому времени буквально потерял человеческий облик, попросту спился, — читаем у Хрущева. — Он так пил, что на себя не был похож... Он был простой человек, питерский рабочий, а тогда это имело большое значение, — рабочий, да еще питерский. Но под конец своей деятельности, в конце своей жизни, это был уже совершенно другой Ежов. Я думаю, так повлияло на него то, что он знал, что происходит. Он понимал, что Сталин им пользуется как дубинкой для уничтожения кадров, прежде всего старых большевистских кадров, и заливал свою совесть водкой».

По данным кафедры статистики Института народного хозяйства имени Г. В. Плеханова, в 1953 г. Сталин оставил страну на уровне потребления 3,5 литра чистого алкоголя на душу населения в год. Это было меньше всех в мире, меньше даже, чем при «полусухом» законе на рубеже 1913 г., когда потребление достигло 4,7 литра.

При Хрущеве потребление алкоголя возросло в три раза и составило 10 литров на душу населения, при Брежневе — в пять раз (!). Уже после его смерти, в 1984 г., потребление чистого алкоголя на душу населения в год составило в СССР 17—18 л.

Немногие наверняка знают, что от количества потребляемого алкоголя в прямой пропорциональной зависимости находится процент рождаемости дебилов в стране. Так, если говорить, что количество потребляемого спиртного выросло до 18 литров, то это означает, что в стране родилось 18 % дебилов и столько же полудебилов.

Критическая точка, по свидетельству медиков, наступает при 25 литрах. За ней следует вырождение нации и полная экономическая разруха (между прочим, по данным статистики МВД, в отдельных регионах Россия перевалила за критическую точку: там потребление выросло до 34 %).

(Следует сказать, что читатель может найти и другие цифры, которые не совпадут с приведенными здесь. Объясняется это очень просто: по данным официальной статистики, в СССР в 1984 г. потребление алкоголя составило 8,4 литра, а в 1985 — в год опубликования закона о борьбе с пьянством и алкоголизмом — 7,2 литра. Спрашивается: для чего тогда нужно было объявлять «борьбу», которая, кстати говоря, привела к еще большей алкоголизации населения? По данным той же официальной статистики, в 1984 г. во Франции потребление алкоголя составило 14,2 литра, в Италии — 11,9 литра, в Венгрии — 11,5 литра. Но там, насколько мне известно, не объявляли борьбы с пьянством и алкоголизмом?)

Не миновала сия горькая чаша и высшее руководство партии и страны. Сталин пал жертвой системы, которую сам же и создал. Точно так же и в эпоху *брежневщины* пострадали те, кто являлись защитниками и носителями этой системы. Спиртным злоупотреблял сын Брежнева, Юрий, который окончательно спился и после смерти отца был снят со всех своих постов. Страдал алкоголизмом и младший брат Брежнева, Яков, живший вместе с ним.

За период своей успешной карьеры и Ю. Чурбанов проникся философским пониманием земного бытия. К примеру, в результате длительных и упорных исканий он вывел для себя безотказную формулу «как нравиться всем». «Надо просто уметь пить, — говорил он о своем открытии знакомым. — Пить как можно больше, но при этом держаться на ногах. Тогда выйдешь в люди».

Сам Чурбанов был последователен, пил со всеми, но не ради наслаждения, а во имя социалистического Отечества, пил, даже несмотря на то, что у него из-за этого возникали частые ссоры с супругой.

Галину Брежневу дважды подвергали принудительному лечению от алкоголизма, но женский организм плохо поддается такому лечению.

По свидетельствам специалистов-наркологов, женский алкоголизм во много раз страшнее, чем мужской. Женщины, как правило, быстрее привыкают к спиртному, и их тяжелее лечить от недуга. Когда женщина прибегает к спиртным напиткам для решения личных проблем, для нее при этом не стоит на первом месте, как у мужчины, неудовлетворенность бытовыми или материальными проблемами. Главной причиной, по которой большинство женщин начинают пить, является чувство одиночества, заброшенности и ненужности. Бытовые и материальные проблемы можно решить, но вот проблемы эмоционального характера очень трудно поддаются исправлению.

Врач-нарколог Саранской психиатрической больницы М. В. Романов, который в 1972 г. проводил сравнительное обследование 150 женщин и 150 мужчин, страдающих хроническим алкоголизмом, писал в отчете: «Особого внимания заслуживает тяжесть деградации личности у женщин-алкоголичек. Черты деградации выявляются довольно рано, спустя несколько лет после начала злоупотребления спиртными напитками. Заметно сужается круг интересов, угасают прежние культурные запросы, появляется склонность к асоциальному образу существования, утрачиваются этические нормы поведения, выявляется крайняя лживость и все большее расторможение низших влечений».

Я уже неоднократно упоминала, что развращенный человек социалистической эпохи является ярким примером чревоугодия — одного из семи смертных грехов. Не избежала склонности ко всяким излишествам и Галина Брежнева, в том числе и к сквернословию.

Французский моралист Л. Вовенарг как-то заметил: «Привычка — всё, даже в любви». Человек довольно быстро привыкает к самым разнообразным явлениям и вещам: к отдыху, вкусной пище, шикарному жилищу, дорогим напиткам и украшениям.

Это же касается и сквернословия. То, что «выражаться» нехорошо, особенно в присутствии других людей, знает каждый. Некоторые случаи сквернословия уголовный кодекс даже относит к преступлениям. Сквернословие, что на своем собственном опыте может подтвердить каждый читатель, в наши дни не уменьшилось, а, наоборот, возросло. Откуда же такая глубокая приязнь к бранному слову?

Грубые, бранные слова, «мат», имеются во всех национальных культурах, хотя и являются разными у разных народов. Так, например, во многих европейских странах достаточно остро воспринимается обвинение в гомосексуализме, особенно если оно обращено на совершенно незнакомого человека, а жеста, обозначающего понятие «рогоносец», в Италии хватает, чтобы возникла если не драка, то по крайней мере горячая ссора. Вульгарный синоним слова «проститутка» серьезно оскорбляет человека во многих странах.

Почти у всех народов высоко ставится статус родственных отношений по материнской линии, поэтому большую роль играет сексуальное оскорбление по матери.

В тех национальных культурах, где особое внимание уделяется сексуальной жизни, самыми грубыми будут ругательства с коитальным, связанным с соитием, смыслом. А вот у чукчей и эскимосов наиболее оскорбительные ругательства означают в переводе на русский язык «Ты — неумеха!». И это вполне понятно: в исключительно трудных условиях жизни этих народов человек, пасующий перед трудностями, достоин презрения.

Самым сильным китайским ругательством считаются выражения «Зеленая черепаха!», «Заяц!».

При всем разнообразии бранные слова выполняют у разных народов одинаковые социальные функции. Они вызывают негативные чувства у того, кому наносится оскорбление, причиняют ему моральный ущерб, унижают в собственных глазах и в глазах свидетелей. Непристойность, присущая брани, порой вызывает психологический шок. Это обусловлено тем, что слушатель невольно оказывается вовлеченным во что-то «грязное». Нередко ругательство помогает «сбить противника с курса», особенно если употребляются наиболее грубые из них.

Ругательства возбуждают и подбадривают того, кто их произносит. Они также служат наиболее простым и удобным способом разрядки и снятия напряжения. К ругательствам прибегают и тогда, когда хотят показать принадлежность к определенной социальной группе, наладить «непринужденное общение», продемонстрировать, что ты свой. Так, например, по воспоминаниям очевидцев, поступали Сталин и его ближайшее окружение.

Волна сквернословия захлестнула страну в 30-е гг. В сталинских лагерях сидели вперемешку лучшие люди науки и искусства, простые крестьяне и рабочие, закоренелые преступники и убийцы. Все они в одной упряжке под чутким руководством НКВД трудились на стройках первых пятилеток — рыли Беломорканал, прокладывали Турксиб, возводили Днепрогэс. Рецидивисты с большим стажем обучали хилых «интеллигентишек» и гегемонов — рабочих и крестьян — бранной «фене». Вот откуда в нашем повседневном лексиконе присутствуют такие слова и выражения, как: «бомбить», «базарить», «халява», «дать дуба», «сыграть в ящик», «халдей», «доходяга», «барыга», «мент», «мокруха», «медвежатник», «баки вколачивать», «цыпа», «мокрощелка», «гудок», «банан» и другие. Они не требуют специальных пояснений и понятны буквально каждому человеку со школьной скамьи, а нередко и с детского сада.

Сквернословие было вызвано только что перенесенными тяжелыми испытаниями (революция, гражданская война, голод 20-х гг.), скудостью жизненных благ, недостатком образования и общей культуры. Во многом это поддерживалось и направлялось обильным сквернословием «на высшем уровне», когда и Сталин со своим окружением, министры и другие высокие чины, а за ними и все нижестоящие кадры бюрократической пирамиды считали сквернословие в присутствии подчиненных «хорошим тоном» и верным показателем «близости к народу», отсутствия всякого зазнайства.

В эпоху «развитого социализма» бранные слова прочно вошли в лексикон и простого человека. Ругательства стали использоваться и произноситься как бы автоматически, без ясной цели. Обозвать человека «по матушке» или отправить его «по назначению» служило советскому человеку для простой связки слов, не вызывая при этом никаких эмоциональных возражений. Это было проявлением бедного словарного запаса советского человека, который выражался лишь для того, чтобы передать свое эмоциональное отношение к обсуждаемой теме, происходящему и как-то намекнуть на то, что по-другому выразить он был не в состоянии.

Ругательства получили широкое распространение и просто потому, что так было принято, по привычке. Они стали чем-то вроде знаков препинания. Как раз в этой роли бранные слова применяются наиболее широко, особенно в мужском разговоре. Они стали служить не только для оскорбления, но, как это ни парадоксально, и для выражения похвалы, восторга, восхищения.

Галина Брежнева стала жертвой и живым воплощением многочисленных язв той эпохи, в которую жила и которой присвоили имя ее отца. Она имела все, что хотела иметь. Большинство советских людей могли лишь мечтать о том, что для Галины Брежневой было в порядке вещей. Она и ее супруг кормились из спецраспределителя на улице Грановского, который Н. Хрущев некогда пытался прикрыть, лечились в поликлинике 4-го Главного управления Минздрава, раскатывали на служебных машинах. Для них за государственные деньги спецтресты возводили дачи-особняки, которыми в наше время на многие километры обильно усеяны пространства вокруг городов.

Так было заведено, так жили все, кто находился у сытной кормушки власти. Каждый старался устроиться сам и устроить своих родственников, друзей, приятелей и просто нужных знакомых.

Муж Галины Брежневой, на фамилию которого она даже не захотела переходить, оказался абсолютным профаном в милицейской работе. Работники поняли это сразу, как только он пришел в министерство в качестве заместителя министра по кадрам. Вместо своих прямых обязанностей — укрепления милицейских кадров — он первым делом выдал распоряжение о запрещении курения в служебных помещениях МВД. Нужное дело, но не для заместителя министра!

По рассказам некоторых его министерских коллег, Ю. Чурбанов никогда не занимался бумажными делами. Он куда чаще подкарауливал в коридоре младших офицеров и громко отчитывал их то за неопрятный внешний вид, то за нечищенную обувь.

Он часто и много ездил с различными инспекциями по стране, и вскоре подчиненные поняли: для того чтобы угодить высокому московскому гостю, следует делать подношения. В одной из тогдашних союзных республик Чурбанов так упился, что потерял сознание в предбаннике сауны. Сердце не выдержало серьезной нагрузки от употребления спиртного. Срочно была вызвана «скорая помощь» 4-го управления.

Нередко, возвращаясь из поездок, Чурбанов без особого удивления обнаруживал в карманах, коробках с фруктами, портфелях и чемоданах упаковки новеньких хрустящих банкнот. Предшествующие шумные события не позволяли вспомнить, где и при каких обстоятельствах он получил такую значительную сумму.

В своих предыдущих книгах я много рассказывала о Ю. Чурбанове и о том, как обожал он свою узбекскую вотчину. Здесь же хочу остановиться на его семейственности.

Став зятем Л. Брежнева, Ю. Чурбанов, как я уже сказала, устроил соревнование со своим деверем. Сын Брежнева работал в то время в Швеции. Карьера Чурбанова исключала перспективу шикарной заграничной жизни.

Тогда Ю. Чурбанов решил пристроить свою младшую сестру Светлану. Она вместе со своим первым мужем, выпускником МАДИ, много лет провела на Западе, находясь сначала в Италии, а потом в Англии. (Туда же накануне смерти деда на стажировку отправился Андрей Брежнев, ныне создавший свою партию.)

Брат Ю. Чурбанова, Игорь, четыре года проработал в Женеве.

Пока Ю. Чурбанов замышлял козни против своего непосредственного начальника Н. Щелокова, его жена наслаждалась радостями жизни. Ее любовник жил в Москве в большом кооперативном доме на улице Чехова, недалеко от театра кукол Образцова.

Квартиру ему подарила Галина. Покупкой мебели и роскошной отделкой комнат тоже руководила она. Вся обстановка этого элитного жилища говорила не о художественных вкусах, а о богатстве владельцев. В ней было огромное количество антиквариата, на стенах висели редкие, порой бесценные, иконы. Рассказывают, что на специальном столике стоял сосуд с бриллиантами, подсвеченный разноцветными лампами.

У Бориса Буряце была одна из самых богатых коллекций бриллиантов. Не зря приятели нередко называли его между собой то «Борисом Бриллиантовым», то «Князем Бриллиантовым».

Нужно сказать, что увлечение бриллиантами в среде советской элиты к концу 70-х гг. стало повальным. Сам Брежнев к этому времени все охотнее начал принимать в качестве подарков драгоценные камни и дорогие золотые изделия.

В своем хобби он был заодно с дочерью, у которой страсть к бриллиантам была сильнее страсти к молодым мужчинам. В стремлении иметь как можно больше бриллиантовых украшений сказалась мещанская жадность к богатству. Ей также казалось, что в дорогих украшениях она выглядит моложе и привлекательнее, чем на самом деле. Галина следила за всеми новыми поступлениями бриллиантов в Ювелирторг и приобретала самые лучшие камни. При этом цена покупки ее не интересовала. Вместо денег она могла оставить расписку — обыкновенный клочок бумаги, который в случае ревизии нельзя было бы представить как серьезный документ.

Давно канули в Лету те дни, когда Борис Буряце впервые приехал в Москву, устроился в цыганский театр «Ромэн» и жил на скромную зарплату, снимая комнату в чужой квартире. Теперь он работал в музыкальном театре имени Станиславского и Немировича-Данченко, в театре, откуда начинал свой звездный путь еще один возлюбленный Галины Брежневой — Марис Лиепа. Буряце очень редко появлялся на сцене родного театра, зато дружба с дочерью генсека сделала его весьма влиятельным человеком. Вокруг него постоянно крутились разного рода сомнительные личности, связи которых уходили в московский подпольный бизнес, «черный рынок» и уголовно-криминальный мир. В его квартире почти ежедневно собирались близкие для него или Галины Брежневой люди. Все здесь обставлялось с такой же роскошью, как в Крыму. Впрочем, это и неудивительно, поскольку с дочерью генсека поддерживали тесные отношения директор крупнейшего московского гастронома № 1 («Елисеевского») Ю. К. Соколов и директор гастронома № 2 на Смоленской площади (гастроном «Смоленский») С. Нониев.

Вечерние пиры шумной «элитной» компании затягивались, как правило, допоздна, и Галина Брежнева все чаще и чаще оставалась ночевать у любовника. Часам к одиннадцати, наскоро и небрежно одевшись, она спускалась в расположенную внизу парикмахерскую, где работали лучшие в столице мастера.

Борис Буряце очень ревностно относился к своему внешнему виду. Он бывал на различных дипломатических приемах и встречах. Поговаривали, что он был в близких отношениях с послом Румынии в Москве, жена которого также была цыганкой.

Трудно представить, чтобы Юрий Чурбанов (хотя бы по долгу своей милицейской службы) не знал о Борисе Буряце. Да и Галина Брежнева вела себя столь «неосторожно», изменяя высокопоставленному супругу, что это не являлось большим секретом для столичной партийной и государственной элиты. Несколько раз фаворита «мадам» жестоко избивали «неизвестные лица». Брату Буряце и некоторым близким друзьям даже приходилось охранять своего покровителя и его жилище.

Привыкнув к роскошной жизни, Борис Буряце не желал что-либо менять в ней, пусть даже эта жизнь порой оказывалась для него слишком рискованной. Брежнева подарила ему два «Мерседеса», ежедневно на избалованного фаворита выливались другие щедроты «заботливой мадам».

Поначалу Чурбанова раздражала и бесила

связь жены с Буряце: если бы он ее потерял, то в одночасье мог бы лишиться всего, в том числе и расположения всесильного тестя. Но в конце концов он смирился с капризами и прихотями Галины и стал закрывать глаза на ее поведение.

Роскошная жизнь, крупные взятки в виде дорогих подарков и больших денежных подношений, спецпайки, махинации с золотом и бриллиантами, систематическое пьянство, разгул вседозволенности среди партийных и государственных чиновников всех рангов и массовый разврат — все это стало неизменными атрибутами брежневщины. Подобный образ жизни царил не только в семье Брежнева, но и в окружении Черненко, Гришина, Кунаева, Кириленко. Этот же образ жизни копировался руководителями на местах.

А между тем эпоха медленно, но верно клонилась к закату. В начале 1976 г. Брежнев перенес клиническую смерть. Врачам удалось вернуть генсека к жизни, хотя более трех месяцев в году он не мог работать. В результате клинической смерти были нарушены мышление и речь. Его характерная «причмокивающая» особенность разговора, которую мы все запомнили, сохранилась до самой смерти. С того же времени рядом с генсеком постоянно находилась группа врачей-реаниматоров со всем необходимым оборудованием.

В самом конце 1979 г. в МВД СССР произошло громкое событие: застрелился первый заместитель министра внутренних дел В. Папутин. К тому времени Брежнев уже неоднократно заводил разговор с Н. Щелоковым о дальнейшем росте карьеры зятя, однако его каждый раз отговаривали. А тут подвернулась хорошая вакансия. Вряд ли Н. Щелоков жаждал увидеть Ю. Чурбанова своим первым заместителем, но противоречить генсеку он не осмелился.

В октябре 1981 г. Чурбанову досрочно было присвоено звание генерал-полковника. Он тут же заказал новый мундир, прикрепил к нему все свои орденские планки и в таком виде явился на работу. Ходил даже анекдот, что орденских планок у Чурбанова больше, чем у маршала Жукова.

В конце того же 1981 г. советский цирк отмечал свой праздник. На торжественное представление собрались не только звезды манежа, но и любители циркового искусства из числа избранных. Среди них были Галина Брежнева, жена Щелокова и жена Колеватого в своих лучших украшениях. И все же ни у кого из них не оказалось таких больших и красивых бриллиантов, как у Ирины Бугримовой, народной артистки СССР.

Внучка адмирала Федоровича, героя Крымской войны, она училась некогда в музыкальной и балетной школе, потом стала чемпионкой Украины по автогонкам, а позже — цирковой акробаткой и в конце концов всемирно известной укротительницей тигров и львов. Ее бриллиантовая коллекция, о которой мало кто знал, была лучшей из частных коллекций. Драгоценности она получила в наследство от родителей, многие из них входили в специальные каталоги, которые есть во всех главных ювелирных магазинах.

Накануне новогодней ночи, поздним вечером 30 декабря 1981 г., к дому на Котельнической набережной, где проживала И. Бугримова, подъехала автомашина. Трое мужчин сказали дежурной по подъезду, что привезли новогодний подарок для артистки, которой в то время не было дома. Дежурная разрешила им пройти, но после того, как посетители долго не возвращались, она направилась к квартире Бугримовой и увидела незапертый «черный ход».

На место происшествия была вызвана группа уголовного розыска, вызвали и саму пострадавшую артистку. Все вещи в квартире были на месте, но бесценная коллекция бриллиантов исчезла. Интересно было и то, что не сработала даже сигнализация, которая была подведена к сейфу с бриллиантами.

В истории уголовного розыска бывали случаи, когда он довольно оперативно раскрывал преступления подобного рода. Так, например, была найдена коллекция драгоценностей знаменитого скрипача Давида Ойстраха. Более трудными оказались поиски драгоценностей, картин и ценных бумаг из коллекции «красного графа» Алексея Толстого. Организатора ограбления удалось найти только тогда, когда похищенное было реализовано. Большую его часть вернули вдове писателя, но вот знаменитая французская брошь — с большим красивым бриллиантом, уникальная по художественному исполнению, — исчезла без следа.

К розыску драгоценностей Бугримовой были подключены сотрудники КГБ и таможни. Проверялись багажи в международных аэропортах. Именно в аэропорту Шереметьево в январе 1982 г. задержали человека, у которого нашли три бриллианта из коллекции Бугримовой, а еще через несколько дней были задержаны и другие члены банды профессиональных грабителей.

Среди влиятельных и богатых людей в СССР было не так уж много таких, кто бы мог «заказать» подобное ограбление. Почти с самого начала расследования нить подозрений потянулась в сторону Бориса Буряце, фаворита Галины Брежневой. Но ни Юрий Чурбанов, ни КГБ не взяли его под свою опеку. Для законного супруга Брежневой наступил подходящий момент, чтобы избавиться от любовника жены.

В квартире артиста был произведен тщательный обыск. Проверка не только усилила подозрение правоохранительных органов в причастности Буряце к ограблению Бугримовой, но и породила ряд новых подозрений, по пока еще не заведенным уголовным делам. Борис получил вызов на допрос.

В этот раз «мадам» не поспешила уберечь фаворита от разбирательств со следователями из КГБ. Она уже много раз выручала его из различных передряг, но теперь обстоятельства складывались не в ее пользу. Во-первых, был тяжело болен ее всемогущий отец. Во-вторых, с болезнью генсека в Политбюро и Секретариате ЦК КПСС ведущей фигурой оказался М. Суслов. В своей книге «Серые кардиналы Кремля» я уже приводила портрет этого партийного аскета, прошедшего строгую закалку сталинской школы ведущих работников. Безусловно, М. Суслов, презиравший роскошь и всякие отклонения от «правильного» образа жизни, не стал бы помогать Галине Брежневой в «деле» с Буряце. Но по существу и он не был главным человеком в руководстве страны. Это место занимал Ю. Андропов, под началом которого после смерти Брежнева начались громкие уголовные дела о коррумпированных высших партийных и государственных чиновниках. Поэтому фавориту дочери генсека пришлось предстать перед следователями.

Он приехал в Лефортово на допрос на своем «Мерседесе», в норковой шубе, норковых сапогах, с маленькой собачкой на руках. Сразу же после допроса его препроводили в камеру, разрешив перед этим предупредить по телефону родных и близких. Борис позвонил Галине Брежневой и сообщил о своем аресте, но она не смогла проронить ни единого слова в ответ — от возмущения и растерянности.

Зацепившись за ограбление Бугримовой, Андропов раскрутил целый показательный процесс о взяточничестве и казнокрадстве. Попал в тюрьму Анатолий Колеватов, руководитель цирков страны. Арестовали директора «Елисеевского» магазина Юрия Соколова, покончил с собой Сергей Нониев, директор крупного магазина — гастронома «Смоленский». Все они были, как уже отмечалось выше, завсегдатаями вечеринок, проходивших в квартире Бориса Буряце и Галины Брежневой.

Как и следовало ожидать, на допросах Буряце ссылался на Галину и других высокопоставленных друзей. Но в то время без санкции Политбюро никто из следователей не решился хотя бы на то, чтобы их допросить как свидетелей.

Следствие по «делу Буряце» контролировал первый заместитель председателя КГБ С. Цвигун, свояк Брежнева (они, как я отмечала, были женаты на двоюродных сестрах). Андропов поручил своему заместителю обсудить с Сусловым сложившуюся ситуацию.

Что произошло в процессе разговора двух высокопоставленных чиновников, до сих пор окружено тайнами и загадками. Но, возвратившись от Суслова, Цвигун, и ранее обладавший импульсивным, несдержанным, склонным к депрессиям характером, застрелился у себя на даче.

Рассуждая над этой проблемой, Рой Медведев приводит любопытные документальные факты:

«В одном из управлений Министерства здравоохранения мне дали возможность ознакомиться со следующими документами:

"Цвигун С...

Усово, дача 43. Скорая помощь. 19 янв. 1982 г. 16-55. Пациент лежит лицом вниз, около головы обледенелая лужа крови. Больной перевернут на спину, зрачки широкие, реакции на свет нет, самостоятельное дыхание отсутствует. В области правого виска огнестрельная рана с гематомой, кровотечения из раны нет. Выраженный цианоз лица.

Реанимация. Непрямой массаж сердца, интубация.

17-00 приехала реанимационная бригада. Мероприятия 20 минут не дали эффекта, прекращены. Констатирована смерть.

В 16-15 пациент, гуляя по территории дачи с шофером, выстрелил в висок из пистолета «Макаров» водителя.

Подписи пяти врачей".

Из другого акта вскрытия трупа № 34/83 (Цвигуна) в Центральной клинической больнице 1-го Главного управления Минздрава СССР:

"Злокачественная опухоль желудка и метастазы в лимфатические узлы самого сальника. Не причина смерти..."»

Событие смерти Цвигуна, как и его торжественные похороны, плохо отразились на здоровье самого М. Суслова. У него случился инсульт, и он умер вскоре после похорон Цвигуна.

Даже рядовые советские граждане, занятые решением насущных проблем, и те были заинтригованы странным стечением обстоятельств, произошедших за короткий промежуток времени.

В день похорон Суслова был арестован Анатолий Колеватов и некоторые другие близкие друзья Галины Брежневой. По Москве ходили разного толка слухи, подстегивавшие и без того сильное любопытство иностранных корреспондентов. Но к квартире Бориса Буряце, равно как и к квартирам других «пострадавших» в ходе его «дела» людей, нельзя было приближаться никому из посторонних — у входа стояла охрана. Дошло даже до того, что на просьбу о предоставлении в фотохронике ТАСС фотографии Галины Брежневой иностранным журналистам было отказано. Самой дочери генсека нельзя было появляться перед женами дипломатов. Громыко перевел ее на скромную должность в архиве МИДа.

Между тем аресты близких Галине и Юрию Брежневым людей не прекращались. Все это порождало новые слухи и кривотолки, но для многих было очевидно главное: клан Брежнева после длительного периода времени наконец начал терять свое могущество.

Забегая вперед, скажем о судьбе «пострадавших» в «деле Бориса Буряце». Сам фаворит Галины Брежневой после долгого следствия был осужден к семи годам тюремного заключения.

В сведениях о дальнейшей судьбе Бориса Буряце начинается неразбериха. По одним источникам, он погиб в тюрьме, по другим — был освобожден условно-досрочно 20 сентября 1986 г. Конечно же, он был уволен из Большого театра, куда попал по протекции Галины Брежневой, и в начале 1987 г. возвратился в театр «Ромэн». По некоторым слухам, Борис Буряце был убит в Крыму в конце того же года, потому что «много знал». Однако в короткой заметке в одной из российских газет, извещавшей о смерти Галины Брежневой, отмечается, что Борис Буряце живет в Москве.

Директор «Елисеевского» Юрий Соколов, на квартире которого было изъято драгоценностей более чем на миллион рублей и немало ценностей — на даче, получил 15 лет лагерей, позже замененные расстрелом. Сергей Нониев, директор другого крупного гастронома — «Смоленского», застрелился сам. К 15 годам лишения свободы был приговорен Анатолий Колеватов.

Покончили самоубийством супруги Щелоковы. Но это произошло несколько позднее, уже после смерти Л. Брежнева.

В последние годы жизни Л. Брежнев испытывал постоянные проблемы со здоровьем. Как вспоминает Е. Чазов, тогдашний начальник 4-го Главного управления Минздрава СССР, генсек относился к тому типу людей, которые после нервного перенапряжения не могут успокоиться и уснуть. «Все, что пишут о его пьянстве, — ложь, — говорит Е. Чазов. — Он пил, как все. Не больше и не меньше других. От сильного стресса он избавлялся с помощью снотворного. Принимал его — оно помогало. Потом проходила неделя — и эта доза переставала действовать. Он начинал увеличивать дозу. Так и возникла токсикомания».

Л. Брежнева не мог не волновать вопрос о возможном преемнике на посту руководителя партии и страны. В последние годы жизни наибольшее доверие он оказывал К. Черненко, потому что в руках у того было главное — *ап-*

парат. Но в Политбюро, Секретариате ЦК и в армии у него не было поддержки. Кроме того, у К. Черненко, как и у самого Брежнева, с конца 70-х гг. имелись серьезные проблемы со здоровьем. Мало кто из его соратников знал, что К. Черненко постоянно имел при себе аэрозольный баллончик с лекарством, его часто мучил удушающий кашель.

Майские праздники 1982 г. Л. Брежнев провел на больничной койке. Американская разведка в секретном донесении из Москвы докладывала президенту Р. Рейгану, что «Брежнев, по всей вероятности, должен будет оставить свой пост на Пленуме ЦК КПСС в мае». Назывались и кандидатуры наиболее вероятных преемников: Черненко, Кириленко, Андропов и Устинов.

Л. Брежнев не хотел выступать на Пленуме. Физическое состояние не позволяло ему произносить длинных речей. Однако соратники, приехавшие к нему в больницу, убедили генсека, что выступить с докладом по вопросу о Продовольственной программе должен именно он.

12 мая 1982 г. Л. Брежнев тяжелой неторопливой походкой прошел к трибуне и более двух часов зачитывал подготовленный для него доклад. Он не выговаривал многих слов, мычал, чамкал губами или просто молчал, собираясь с силами. А когда доклад был прочитан, Л. Брежнева немедленно доставили в ту же больничную палату Кремлевской больницы.

В середине июня 1982 г. Л. Брежнев на все

лето перебрался в Крым. В его отсутствие регулярные заседания Секретариата ЦК проводил К. Черненко. Но однажды Ю. Андропову по правительственной связи с юга позвонил Л. Брежнев и после короткого обмена любезностями спросил: «Кто сейчас ведет Политбюро?» «Сейчас ведет заседания Черненко», — ответил Ю. Андропов. «Для чего же мы тебя выбрали секретарем ЦК? — спросил Брежнев. — Теперь уж ты должен вести все эти заседания».

М. Горбачев в своей книге «Жизнь и реформы» вспоминает:

«Перетягивание каната между Черненко и Андроповым, их конкурентная борьба за влияние на генсека продолжались. Черненко пытался изолировать Брежнева от прямых контактов, говорил, что только он может чисто по-человечески понять Леонида Ильича, не брезговал ничем, чтобы укрепить личные позиции. Хотя Юрия Владимировича после Пленума посадили в сусловский кабинет, поручение ему вести Секретариат ЦК так и не было зафиксировано. Так продолжалось примерно до июля 1982 года, когда произошел эпизод, поставивший все на свои места. Обычно перед началом заседания секретари собирались в комнате, которую мы именовали «предбанником». Так было и на сей раз. Когда я вошел в нее, Андропов был уже там. Выждав несколько минут, он внезапно поднялся с кресла и сказал: «Ну что, собрались? Пора начинать». Юрий Владимирович первым вошел в зал заседаний и сразу же сел на председательское место. Что касается Черненко, то, увидев это, он как-то сразу сник и рухнул в кресло, стоявшее через стол напротив меня, буквально провалился в него. Так у нас на глазах произошел «внутренний переворот», чем-то напоминающий сцену из «Ревизора». Этот Секретариат Андропов провел решительно и уверенно — в своем стиле, весьма отличном от занудной манеры, которая была свойственна Черненко».

В то время Ю. Андропова поддерживали Д. Устинов, А. Громыко и М. Горбачев. Им противостояли К. Черненко, А. Кириленко, Н. Тихонов и В. Гришин.

В сентябре в Москву вернулся Л. Брежнев, но это не ослабило позиций Ю. Андропова. За месяц до его возвращения неожиданно с поста первого секретаря Краснодарского крайкома партии был смещен и назначен министром плодоовощной промышленности С. Медунов.

О масштабной коррупции и должностных злоупотреблениях в Краснодарском крае было известно всем правоохранительным органам. Многие партийные и государственные чиновники из числа подначаленных С. Медунова были арестованы или сняты со своих должностей. И только первый секретарь Краснодарского крайкома партии оставался на своем посту. Это не вызывало никакого удивления, поскольку Медунов считался в брежневском клане одним из фаворитов. Многим высокопоставленным московским чиновникам он оказывал различные услуги, в том числе и интимные. Ведь в Краснодарском крае располагались всесоюзные курорты.

Снятие с должности, а тем более арест не могло быть без согласия Л. Брежнева. В книге воспоминаний «Человек за спиной» личный адъютант генсека В. Медведев пишет:

«В один прекрасный день я находился в кабинете Леонида Ильича, когда ему позвонил Андропов. Связь переключили с телефонной трубки на микрофон, все было слышно. Я поднялся, чтобы выйти из кабинета, но Леонид Ильич взмахом руки попросил остаться. Юрий Владимирович докладывал о первом секретаре Краснодарского обкома партии Медунове, говорил о том, что следственные органы располагают неопровержимыми доказательствами того, что партийный лидер Кубани злоупотребляет властью, в крае процветает коррупция.

Как обычно, Брежнев ждал конкретного предложения.

— Что же делать?

— Возбуждать уголовное дело. Медунова арестовать и отдать под суд.

Брежнев, всегда соглашавшийся, долго не отвечал, потом, тяжело вздохнув, сказал:

— Юра, этого делать нельзя. Он руководитель такой большой организации, люди ему верили, шли за ним, а теперь мы его — под суд? У них и дела в крае пошли успешно. Мы одним недобросовестным человеком опоганим хороший край... Переведи его куда-нибудь на первый случай, а там посмотрим, что с ним делать.

— Куда его перевести, Леонид Ильич?

— Да куда-нибудь... Заместителем министра, что ли.

На этом разговор закончился. Он продолжался минут десять.

Леонид Ильич был очень огорчен: Медунов — его ставленник — подвел его. В том, что Андропов сказал правду, Брежнев не сомневался».

После возвращения Брежнева из Крыма произошло и еще одно довольно заметное событие: по всей стране из «портретной галереи» членов и кандидатов в члены Политбюро втихую исчез портрет А. Кириленко, одного из самых влиятельных и всесильных членов клана.

Я помню, как в то время ходили слухи о том, что тихое смещение Кириленко связано с поступком его сына, который во время заграничной поездки попросил политического убежища в Англии. Но, как оказывается, причина была куда более проста и прозаична: Кириленко сняли из-за прогрессирующей деменции, или, как сказали бы по-простому, за старческий маразм.

После болезни Л. Брежнев старался как можно больше и чаще бывать на людях. Для очередного награждения Азербайджана он совершил поездку в Баку. Торжественный прием, устроенный ему Г. Алиевым, подтолкнул Брежнева к тому, чтобы рекомендовать на освобожденное место в Политбюро кандидатуру азербайджанского лидера.

7 ноября 1982 г. Л. И. Брежнев в последний

раз взошел на трибуну Мавзолея. В окружении верных соратников он принимал парад и приветствовал шествие трудящихся. Никто тогда не знал, что это было последнее появление Генерального секретаря ЦК КПСС, Председателя Президиума Верховного Совета СССР на людях.

О. Захаров, работавший в личном секретариате Л. Брежнева, а потом и Ю. Андропова, вспоминал:

«Это было 9 ноября 1982 года в Кремле. В тот день Л. И. Брежнев отдыхал в Завидове после праздничного парада и демонстрации. В 8 часов утра я заступил на дежурство в кремлевском кабинете, а вскоре позвонил из Завидова адъютант Брежнева полковник Владимир Тимофеевич Медведев и сообщил, что генсек приедет в Кремль примерно в 12 часов дня и чтобы к его приезду в приемной находился Андропов. Весь наш разговор с Медведевым я тут же передал Юрию Владимировичу, он в это время работал в своем кабинете на Старой площади.

Брежнев прибыл в Кремль примерно в 12 часов дня в хорошем настроении, отдохнувшим от праздничной суеты. Как всегда, приветливо поздоровался, пошутил и тут же пригласил Андропова в кабинет. Они долго беседовали, судя по всему, встреча носила обычный, деловой характер... После ухода Юрия Владимировича Брежнев пообедал, затем, после отдыха, еще некоторое время поработал и в 19.30 собрался уезжать на дачу. В приемной он задержался и попросил меня закурить его любимую сигарету «Новость». Когда-то Брежнев был заядлым курильщиком, но врачи наложили на табак запрет, и единственное, что он себе позволял после этого, побыть иногда с теми, кто курит. В этой роли я и оказался в тот день на несколько минут.

На другой день, 10 ноября 1982 года, после суточного дежурства (секретари генсека работали сутками) я позвонил Медведеву и сообщил ему, что сменился и уезжаю домой. Владимир Тимофеевич пожелал мне хорошего отдыха, сказав при этом: «А я деда будить». Это было примерно в 8 часов 15 минут. Поднявшись в спальню, Медведев увидел Брежнева в постели мертвым».

Официальное объявление о времени смерти — 8 часов 30 минут. Личный адъютант В. Медведев сообщил о смерти генсека коменданту резиденции О. Стронову. Затем вместе с другими работниками охраны пытались вернуть еще не остывшее тело Брежнева к жизни с помощью искусственного дыхания. Но все попытки оказались напрасными.

Спустя двадцать минут после того, как адъютант нашел Брежнева, на дачу приехал Андропов. Еще через несколько минут прибыл начальник 4-го Главного управления Минздрава СССР Е. Чазов. После туда прибыли врачи-реаниматоры из кремлевской «скорой помощи».

Только выслушав компетентное заключение врачей, Андропов сообщил Виктории Петровне Брежневой о кончине мужа. Таков был порядок, заведенный еще в 30-х гг.

Галина болезненно восприняла трагическое известие. На похоронах рядом с ней неотлучно дежурила охрана. Многие опасались, что она может «сорваться» и закатить что-нибудь в своем духе.

В последующие полтора года она не выходила из подавленного состояния, часто прибегая к привычному спасительному средству — спиртному. Даже муж, Ю. Чурбанов, остерегался приближаться к ней, опасаясь ее срыва.

Последний раз Галина Брежнева появилась на публике 8 марта 1984 г. В честь Международного женского дня в Кремле чествовали женщин. Пытаясь хотя бы как-то поддержать дочь недавнего генсека, К. Черненко пригласил Галину на праздник.

На прием Галина Брежнева явилась в скромном костюме, на ее груди красовался орден Ленина, врученный ей к 50-летию со дня рождения. Не было ни шикарных украшений, ни прежнего блеска.

9 сентября 1986 г. решением КПК при ЦК КПСС «за злоупотребление служебным положением и взяточничество» из партии был исключен Ю. Чурбанов. Спустя 17 дней, 26 сентября 1986 г., постановлением Совета Министров СССР он был лишен воинского звания «генерал-полковник», а в самом начале 1987 г. арестован.

Обыски в квартире и на даче, где жили Брежнева и Чурбанов, не дали никаких результатов. В сентябре 1987 г. в квартире Галины Брежневой проводилась опись имущества и обыск, связанные с «делом Чурбанова».

После того как один из следователей объявил, что работа на этот день закончена, Галина, находившаяся на легком подпитии, отозвалась:

— Ну так несите бутылку. Где бутылка-то?

Младший брат Галины Брежневой, Юрий, превратился в хронического алкоголика и был отправлен на пенсию, не достигнув и шестидесяти лет. Муж был приговорен к 12 годам строгого режима. В 1990 г. Галина Брежнева подала в суд иск на семейное имущество, конфискованное в процессе обысков. Опытный адвокат сумел доказать, что дорогие натуральные шубы, вазы, мебель и другая утварь принадлежат не Чурбанову, а Брежневой. Галина отсудила в свою пользу также «Мерседес» и 65 тысяч рублей на счету в сбербанке.

В последние годы жизни Галина Брежнева жила в отдельной трехкомнатной квартире на пятом этаже дома по улице Алексея Толстого. В этом же доме двумя этажами ниже жил ее брат с женой. Свою дачу в Жуковке, недалеко от Барвихи, она сдавала. Дочь Виктория жила отдельно, в пятикомнатной квартире по улице Щусева, и была редким гостем в квартире матери. Ее более частыми посетителями были то малограмотный механик Ильюша, который был на двадцать лет моложе Галины, то Владимир Медведев, полковник милиции в запасе, «последний адъютант Его Превосходительства», как называла его сама Галина.

Постоянные пьянки и драки в квартире привели к тому, что по настоянию соседей элитного дома дочь увезла мать в психиатрическую клинику.

Всеми покинутая и забытая, Галина Леонидовна Брежнева умерла там 30 июня 1998 г.

«Жизненный путь Галины Брежневой закончился в печах Митинского крематория 1.07.98 г., — написал «Московский комсомолец». — Смерть произошла в одной из московских психиатрических больниц. Как ни странно, по словам сотрудников ЦКБ, за последнее время Галина Брежнева ни разу не обращалась к специалистам. Не делали этого и ее родственники. Зато прощание состоялось в ритуальном малом зале ЦКБ. Прощаться пришла лишь небольшая группа ближайших родственников».

«Я уже несколько лет не общался с Галиной, но вспоминаю о ней как об одной из самых прекрасных и обаятельных женщин в моей жизни, — сказал Игорь Кио, узнав о кончине Галины Брежневой. — Все эти сплетни, которыми много лет были переполнены все газеты, — неправда. Я знаю ее как демократичную и очень простую женщину. Четыре года, проведенные с ней, были, наверное, самым счастливым периодом в моей жизни».

Юрий Чурбанов — бывший муж, бывший зять, бывший первый заместитель министра МВД и, наконец, бывший заключенный, в настоящее время — президент компании «РосШтерна». В день смерти бывшей супруги он получил факс с известием о ее кончине и сообщение о том, что похороны состоятся в 9 утра на Кунцевском кладбище. Но Ю. Чурбанов похоронам супруги предпочел «деловые переговоры правительственного уровня».

Галину Брежневу похоронили на Новодевичьем кладбище. Там, где покоятся ее ближайшие родственники.

«...Они пришли все описывать, когда Юрий Михалыч уже в тюряге сидел, — рассказывала она в одном из своих интервью журналистке Елене Салиной. — Целая туча: и оттуда, и отсюда, и изо всех организаций, которые только существуют. На меня навалились. А я с бутылкой. Они говорят: «Перестаньте мотаться с бутылкой». А я мотаюсь. Они: «Да вы присядьте». А я говорю: «Нет, я не присяду. Что, вы за мной пришли? Так берите...» И они поняли, что так просто эту бабу не возьмешь. Меня за рупь двадцать не купишь. Вот.

Но с этого времени я стала то, что обо мне пишут. *Я была... Я жила... Слушаете? Сейчас я вам надиктую.*

Я жила при коммунизме!!! (выделено мной. — *В. К.*)

Вам этого не понять...»

«ЖИТЬ ВАЛТАСАРОМ»

> *«Что было, то и будет; и что делалось, то и будет делаться, и нет ничего нового под солнцем.*
>
> Екклезиаст, 1,9

Начатое Ю. Андроповым сражение с коррупцией и взяточничеством было проиграно. С 1986 г. эта борьба не просто пошла на убыль. Она была обращена против тех, кто давал взятки. На скамью подсудимых стали сажать тысячи простых тружеников, которые отчаялись законным путем устроиться на работу, получить квартиру, провести телефон. Дело, которое начинали Гдлян и Иванов, превратилось в дело о Гдляне и Иванове.

Горбачевской перестройке, как известно, предшествовала бурная скрытая борьба партийно-государственных кланов. Номенклатура в конце концов сделала выбор в пользу М. Горбачева и проиграла.

До начала 80-х гг. она считала национальное богатство страны своей личной собственностью. Но обогащение в эпоху *брежневщины* привело к тому, что представители партийных кланов стали предпочитать личную собственность общественной. Пользование государственным имуществом считалось признаком дурного тона и низкого социального статуса.

«Номенклатура упорно отвергала предлагавшиеся западными советниками с конца 80-х годов идеи приватизации, — пишет в своем аналитическом исследовании Ю. Бокарев. — Как можно поделить то, что номенклатура привыкла тайно использовать в целях извлечения личной прибыли? Иное дело передать кому-либо за взятки право на пользование государственной недвижимостью и накопить на этом капитал, приобрести на него такие вещи, которые недоступны коллегам. В этом удовольствие, в этом успех, в этом весь смысл жизни. Вот почему номенклатура раньше созрела для идей свободы личного обогащения, развития рыночных отношений, насаждения мелкого предпринимательства, во всем зависимого от чиновников. Именно с этого началась перестройка».

Поскольку «старых хозяев жизни» нельзя было вернуть обратно в страну, в конце 80-х гг. демократические лидеры придумали использовать представителей теневого бизнеса для возрождения в России капитализма. Ведь теневики — те же предприниматели. Нужно было только дать им развернуться. И, на беду России, дали.

Одного из таких теневиков, который занимался «отмывкой» денег и сумел приобрести дорогую московскую квартиру, виллы в Подмосковье и на Средиземном море, шесть автомобилей, самолет, окружил себя многочисленной охраной, описывает Ю. Бокарев:

«Свой день он начинал и заканчивал выпивкой. В организованное им предприятие являлся среди дня. Ни разу я не был свидетелем того, чтобы во время визитов он решил какие-либо деловые вопросы. Да и его предприятие, снявшее этаж в одном из райкомов МГК КПСС, не занималось никакой производственной или торговой деятельностью, а следило за тем, чем заняты т. н. коммерческие структуры. Заслушав отчет, он ехал в свой ресторан, где встречался с представителями администрации и делового мира. Во время такой ресторанной встречи он заключил договор о постройке делового центра в одном из крупных российских городов и там же утвердил представленный иностранными специалистами проект, копирующий деловую часть Хьюстона. Дальше проекта дело не пошло. И это хорошо — такой центр пустовал бы не только, как в Хьюстоне, по ночам, но и в дневное время суток. В свои зарубежные тýрне он отправлялся на собственном самолете, вместе с автомобилем, электроникой, запасом продовольствия, «горничными», вооруженной охраной, обслугой и переводчиками. В зарубежной гостинице эта компания (точнее, кампания) снимала целый этаж. Моментально подключались телевизоры, кофеварки, компьютеры, ксерокс и факс. Ни разу я не видел, чтобы факс использовался им для деловых контактов».

Русская власть издревле не привыкла считаться с законами. Поэтому, как мне кажется, и вильнюсско-рижские события, и Беловежский «сговор», и неконституционный разгон

Верховного Совета стали обычным явлением. Парадокс заключается только в том, что все эти и подобные им события свершились при тех, кто громогласно заявил о строительстве правового государства и разрыве с традициями беззакония. И здесь никакие оправдания (как то, что «иначе нельзя было предотвратить в стране гражданскую войну») не могут приниматься в расчет. Правовой беспредел в России продолжается, «господа присяжные заседатели»!

В Советском Союзе правящая элита и аппарат выдвигали новых руководителей сообразно с интересами и потребностями выгодной для аппарата системы власти. Начиная с Ленина в России не было пока примеров избрания вождем человека, который не принадлежал бы к высшим слоям властного аппарата.

Еще совсем недавно слово «олигархия» мы узнавали из курса древней истории, а выражение «финансово-промышленные группы» — из курса политэкономии капитализма. Сегодня они стали привычными элементами российского политического лексикона. Ныне у россиян есть все основания подозревать, что именно нашим «доморощенным» олигархам и финансово-промышленным группам они обязаны внезапными сменами в составе правительства, сменами самих правительств, изменениями в составе администрации президента, в Совете безопасности и других высших органах власти.

В мире больших денег и большого бизнеса происходит смертельная борьба (в прямом смысле, потому что, как утверждает статистика, за последние три-четыре года число убитых предпринимателей насчитывает более тысячи человек). Четвертая часть национального богатства России находится на сегодняшний день в руках двенадцати-тринадцати финансово-промышленных групп.

Делание денег как главное обоснование предпринимательской деятельности стало довольно распространенным в определенной части российской элиты. Руководитель «Инкомбанка», один из самых крупных лидеров российского бизнеса, В. Виноградов так сказал о своем любимом хобби: «Я очень люблю охотиться по профессиональному признаку — на деньги. Выжидаю, сижу в засаде. На конкурентов тоже люблю охотиться — жду, когда они созреют, чтобы сделать их своими партнерами, взять "под крыло"...»

Олигархи высоко ценят власть. Это видно на примере их активного участия в формировании как законодательной, так и исполнительной ветвей власти. В конце 1995 г. бизнесмены были представлены во всех 43 блоках и объединениях, которые участвовали в выборах в Государственную думу России. Только в одной Москве из 918 кандидатов в депутаты 178 человек (18,3 %) были предпринимателями или менеджерами.

Убедительным примером воздействия бизнеса на общественно-политическую жизнь страны является характер выборных кампаний, в ходе которых сложился целый набор экономических средств и приемов, выраженных формулой: «Хочешь стать депутатом — плати». По некоторым сведениям, избирательная кампания одномандатного кандидата в Госдуму обходилась претенденту в сумму от 25 до 150 тысяч долларов. Но известны случаи, когда за депутатский мандат выкладывали по 300 тысяч долларов.

Не секрет, что в 1996 г. шесть ведущих представителей российской олигархии открыто заявили о своей поддержке кандидата в президенты Бориса Ельцина. Они выделили огромную сумму на поддержку своего кандидата — двести-триста миллионов долларов. Аналитики утверждают, что предстоящие выборы 2000 г. обойдутся кандидату по меньшей мере в два-три раза больше этой суммы.

Кто бы ни пришел к власти в России в 2000 г., коренные изменения вряд ли произойдут.

Недавние «новые русские» очень быстро стали нашими современниками. Многие из них владеют богатствами, о которых моя героиня, Галина Брежнева, и помыслить не могла. Отчасти из-за недоступности (вспомните ее признание о том, что в Америку ее «не пустили»), отчасти — из-за воспитания.

В сравнении с эксцентричными забавами нынешних российских господ многие поступки Галины Брежневой выглядят невинными детскими шалостями. На их фоне моя героиня смотрелась бы «музейным экспонатом», представительницей давно минувшей эпохи.

Сегодня уже никого из нас не удивляет газетное сообщение о том, что дочь президента страны через посредника в лице одной лихтен-штейнской фирмы приобрела себе дачу в Гар-миш-Партенкирхен — одном из знаменитых баварских лыжных курортов. Мы как бы в порядке вещей воспринимаем ее ведущую роль во влиянии на отца, а значит, и во влиянии на российскую политику. Но ради справедливости следует сказать, что *прологом* к подобному положению и состоянию дел в нынешней российской элите во многом стал тот образ жизни, который сложился именно в эпоху *брежневщины* и который вела дочь Генерального секретаря ЦК КПСС, Председателя Президиума Верховного Совета СССР Л. И. Брежнева — Галина Леонидовна Брежнева.

В конце 1923 г. уже больной Ленин надиктовывал машинистке свои «Откровенные мысли». В момент очередного прояснения рассудка он надиктовал, как мне кажется, одну из самых разумных своих мыслей:

«Конечно, мы провалились. Мы думали осуществить новое коммунистическое общество по щучьему велению... Мы должны ясно видеть, что попытка не удалась, что так вдруг переменить психологию людей, навыки их вековой жизни, нельзя».

Трудно не согласиться с вождем мирового пролетариата, не правда ли?

СОДЕРЖАНИЕ

Литературно-художественное издание

Краскова Валентина Сергеевна

**КРЕМЛЕВСКАЯ ДОЧЬ
ГАЛИНА БРЕЖНЕВА**

Редактор *А. Н. Веко*
Ответственный за выпуск *Н. В. Клакоцкая*

Подписано в печать с готовых диапозитивов 18.12.99.
Формат 84×108^1/$_{32}$. Бумага типографская. Печать высокая
с ФПФ. Усл. печ. л. 18,48. Тираж 11 000 экз. Заказ 14.

Фирма «Современный литератор». Лицензия ЛВ № 319
от 03.08.98. 220029, Минск, ул. Красная, 5—12.

При участии ООО «Харвест». Лицензия ЛВ № 32 от 27.08.97.
220013, Минск, ул. Я. Коласа, 35—305.

Ордена Трудового Красного Знамени полиграфкомбинат
ППП им. Я. Коласа. 220005, Минск, ул. Красная, 23.